Sarah Briand, jounaliste à France 2, est réalisatrice de documentaires pour l'émission de Laurent Delahousse « Un Jour Un Destin », notamment auteur du film *Simone Veil, l'instinct de vie*.

Sarah Briand

SIMONE,
ÉTERNELLE REBELLE

Fayard

TEXTE INTÉGRAL

ISBN 978-2-7578-6175-2
(ISBN 978-2-21368-729-2, 1re publication)

« Vous êtes un modèle d'indépendance. Plus d'une fois, vous trouvez le courage de vous opposer à ceux qui vous sont proches et de prendre, parce que vous pensez qu'ils n'ont pas toujours tort, le parti de ceux qui sont plus éloignés de vous. C'est aussi pour cette raison que les Français vous aiment.
Avec une rigueur à toute épreuve, vous êtes, en vérité, une éternelle rebelle. »

Jean d'Ormesson,
Discours de réception de Simone Veil
à l'Académie française,
18 mars 2010.

À André Chave, mon aïeul, qui en 1943, en Ardèche, ravitailla toutes les nuits pendant six mois la famille Schlenker, des réfugiés juifs d'origine autrichienne, dans une ferme abandonnée qui leur servait de cachette.
Il fut nommé Juste des Nations en 1979, l'année de ma naissance. À ce titre, son nom est inscrit au Mémorial de la Shoah à Paris et dans le jardin de Yad Vashem à Jérusalem.

Prologue

Les deux cartons ont été déposés sur la table. Je n'ose m'approcher.

C'est Jean qui sort les albums, un à un, et les étale sur la nappe blanche. Je vois défiler les étiquettes, « Venise 1987 », « 1974-1975 », « Vacances 1990 ». Certaines sont décollées. Il m'invite à les feuilleter. Je commence par ceux des années soixante-dix, dont la couverture orange me rappelle les albums de vacances de mes parents et notamment leurs premiers voyages en Italie. Ceux que j'ai sous les yeux contiennent eux aussi des souvenirs de famille, mais les leurs se mêlent à l'Histoire avec un grand H. Je suis presque gênée d'être plongée dans ces moments de vie privée. En pointillé des vacances en Normandie ou près de la Méditerranée, je reconstitue le puzzle de son histoire.

Un album m'intrigue, c'est le plus petit et le plus épais. Comme si je sentais qu'il était le plus précieux, je l'ouvre en dernier pour mieux l'apprécier. En tournant les intercalaires de papier-calque, je découvre des clichés dont j'ignorais l'existence. Des photos petit format au cadre découpé en dentelle. Simone dans l'innocence de ses seize ans, Simone au ski en 1946 sur les épaules d'un beau jeune homme, Antoine, qui depuis est devenu son mari, Simone amoureuse dans les années cinquante, Simone et ses trois enfants, Simone et sa sœur Milou.

Mon attention est troublée par des bruits de pas derrière la porte du salon. Cette porte derrière laquelle j'ai cru comprendre que se trouvait sa chambre. Les pas s'arrêtent et la poignée s'anime.

Elle entre.

Elle n'a rien perdu de sa superbe malgré les années. Le chignon est impeccable et le tailleur en laine bleu nuit pourrait laisser croire qu'elle s'apprête à partir pour un déjeuner important. Mais la démarche est désormais hésitante et son regard est comme embué derrière sa paire de petites lunettes. J'ai du mal à cacher mon trouble lorsqu'elle vient m'embrasser. Toujours sans parler, alors que son fils lui rappelle la raison de ma présence chez elle, ses yeux pers s'attardent sur la table et sur les photos dispersées comme des confettis sur la nappe blanche. Les pièces du puzzle de toute sa vie.

Je regarde alors celle qu'elle vient de prendre dans ses mains et qui la fait sourire : une photo de décembre 1974, elle est sous le soleil du Sénégal aux côtés d'un certain Jacques Chirac. Ils sont jeunes et beaux. Et surtout ils ont l'air heureux. Elle est à ce moment-là la ministre la plus populaire de France. Un mois plus tôt, elle remportait la bataille du débat sur l'interruption volontaire de grossesse à l'Assemblée nationale.

Elle reste de longues minutes plongée dans ce cliché, mais ne dit mot. Son émotion est perceptible.

Une émotion qui me bouleverse.

Je traverse le salon où elle réunit sa famille tous les dimanches depuis 1969, date à laquelle elle est venue vivre dans cet appartement. Je laisse derrière moi les grandes fenêtres avec vue sur le dôme des Invalides, et le piano sur lequel jouait Antoine, celui sur lequel il ne jouera plus, désormais recouvert d'un grand tissu sombre.

Il est l'heure pour moi de partir. De remonter le fil de son histoire qui se mêle à l'histoire de la France, l'histoire d'un siècle.

Retour à Auschwitz

Oświęcim, 22 décembre 2004

Simone s'absente. Elle a fermé les yeux. Elle déserte le présent et se transporte six décennies en arrière. Un froid glacial, un froid de décembre polonais, enveloppe les latrines du camp d'Auschwitz-Birkenau. Les autres sont sortis. Simone Veil reste seule avec ses souvenirs. Les paupières closes, elle se recueille en silence.

Tout à l'heure, quand elle a entraîné de ce côté ses proches, le photographe de *Paris Match* et son directeur de la publication Alain Genestar, ils ont été plutôt surpris. Visiter les toilettes d'Auschwitz... L'idée a fait planer un vent de perplexité sur le petit groupe qui l'accompagne. Chacun s'engouffre pourtant à sa suite à l'intérieur du sombre, long et étroit boyau au centre duquel s'étend une double enfilade de trous circulaires séparés les uns des autres de quelques centimètres à peine. Puis Simone raconte. Cet endroit, dit-elle, fut une sorte de refuge au cours des dix mois qu'elle a passés à Auschwitz, comme une minuscule enclave préservée de l'horreur. On n'imagine pas quelle délirante valeur peut revêtir l'existence de pareil espace au sein de l'antichambre de l'enfer que représentait ce camp.

Tout au long de sa détention, entre avril 1944 et

janvier 1945, c'est là qu'elles se donnent rendez-vous avec sa mère, son amie Marceline et sa sœur Milou, à l'abri pour quelques minutes de l'obsessionnelle surveillance des kapos, que l'odeur des lieux gardait à distance.

Soixante ans sont se sont écoulés, mais elle revit les scènes avec une telle intensité, les images qui défilent sous ses yeux sont si fortes et si précises, qu'elle s'est comme extraite de la réalité. Précieuse solitude. Instants inouïs auxquels nul de ceux qui l'entourent ne pourra jamais accéder vraiment.

Simone a fêté son soixante-dix-septième anniversaire. Cela fait pas mal de temps que l'idée de montrer à ses proches les lieux où elle a vécu les heures les plus dramatiques de son existence lui effleure l'esprit. Les circonstances vont offrir une occasion inattendue à ce projet qui n'en était pas encore vraiment un, qui appartenait au domaine de ces désirs inlassablement ajournés.

En cette année du soixantième anniversaire de la libération du camp, le patron de *Paris Match* propose à Simone de se rendre sur place, de réaliser un reportage qui serait comme un périple aux confins les plus effrayants de sa mémoire intime.

Il est prévu qu'elle refasse le voyage un mois plus tard, en janvier 2005, parmi les membres de la délégation qui accompagnera le président Jacques Chirac afin de participer aux cérémonies officielles. Après avoir connu son lot d'aléas parfois sanglants, la relation des deux animaux politiques est désormais pacifiée. De toute façon, ils ont toujours éprouvé l'un à l'égard de l'autre, quels que soient les différends, une estime réciproque, de celle que les grands fauves se reconnaissent entre eux.

À la proposition du directeur de l'hebdomadaire, Simone a posé une condition : que ses enfants et petits-enfants l'accompagnent. Il faut qu'ils se confrontent à ce qui constitue une part de leurs racines, à ce qui forge un pan essentiel de leur identité et de leur histoire individuelle. Ils doivent connaître les paysages désespérés, cet immense cimetière où la chance, le destin, sans doute aussi quelques aptitudes personnelles, valent à leur mère et grand-mère de ne pas appartenir au cortège des centaines de milliers d'âmes qui hantent à jamais ces territoires maudits.

Simone n'a rien imposé, rien exigé. Elle a laissé le choix à chacun. Tous sont venus, hormis les plus jeunes de ses petits-enfants.

Toutefois, plus que tout, c'est la décision de son mari de ne pas participer au voyage qui l'a bouleversée. Il s'est spontanément mis en retrait. Il s'est effacé. Il sait la nécessité de laisser son épouse accomplir seule, avec leurs enfants, ce pèlerinage au pays de la période la plus sombre de son histoire. Dans ce choix frotté de discrétion, Simone puise une nouvelle preuve de l'extraordinaire délicatesse de son mari. Son amour s'en trouve-t-il renforcé ? Il n'en a pas besoin. Elle regarde simplement son geste comme un énième signe du bonheur inespéré qui lui a fait un jour croiser son chemin.

Sur les vestiges de la folie nazie flotte ce jour-là une épaisse brume blanche. Le froid est vif. À l'hiver 1944, pour les pensionnaires du camp, il était meurtrier. Ce qui frappe d'abord la visiteuse, c'est le silence, à peine dérangé par le bruit de ses pas s'enfonçant dans la neige. Les ordres vociférés des officiers nazis et de leurs supplétifs, la langue de Goethe et de Schiller devenue hurlements sauvages, les aboiements des chiens, les gémissements de prisonniers vêtus de haillons, aux allures de squelettes… Un torrent d'images jaillit de sa mémoire. Le camp vibre encore des atrocités dont il a été le théâtre ; en entendant le vent siffler là-bas, au fond des sous-bois de bouleaux chétifs, elle croit reconnaître les cris de souffrance de toutes les victimes de la fureur SS.

Longtemps, Simone n'a évoqué les dix mois de son séjour à Auschwitz qu'avec d'anciens camarades de déportation, Marceline, Ginette, Paul... Comme l'immense majorité de ses semblables, qui ne voyaient pas quels mots auraient été simplement capables de dire l'indicible, d'esquisser le tableau, même très approximatif, de ce qu'ils avaient traversé, permettant à leurs proches d'entrapercevoir la réalité des camps d'extermination nazis.

Ils sont tous là ou presque. Une petite dizaine, enfants et petits-enfants. La neige qui recouvre les allées du camp désaffecté crisse sous leurs souliers ; ils savent. Ils connaissent l'histoire, ils ont lu les livres, ils ont vu les films, les documentaires, les images d'archives. Ils se représentent, comme nous tous aujourd'hui, l'abomination de ce qu'était concrètement, au jour le jour, la mécanique d'anéantissement des Juifs.

Mais c'est une autre chose que de se confronter à la réalité des lieux, de voir la lumière hivernale, blanche et blafarde, qui éclaire les étendues planes et monotones du sud de la Pologne, de sentir son corps frissonner sous des températures polaires, d'entrer dans ces dortoirs immenses, de découvrir à quoi ressemblaient les toilettes d'Auschwitz, de suivre les itinéraires qui étaient ceux des prisonniers au moment où ils devaient se présenter à l'appel, lorsqu'ils partaient travailler, avant les repas, le soir, au moment du coucher. Quand on les menait vers les chambres à gaz...

En dépit de la double ou triple épaisseur de ses pulls, de son manteau de fourrure, de ses bottes d'hiver, Simone est frigorifiée. Comment, à seize ans, est-elle parvenue à supporter ça, couverte d'une simple robe et de sandales légères ?

Simone se rappelle tout. Elle veut dire. Il y a tant d'années que ça la hante, qu'elle se demande comment transmettre à ceux qu'elle aime le plus, à la chair de sa chair, la réalité de la période la plus noire de son existence. Ses fils et petits-enfants sont venus pour ça. Pour ressentir, s'imprégner, comprendre autant qu'il est possible ce qu'ont pu représenter ces dix mois, par ailleurs si essentiels dans la formation de leur propre identité.

Alors elle raconte. Marchant entourée des siens, elle passe devant les baraquements réservés aux hommes, dont les fondations en bois ont moins bien résisté au temps que ceux des femmes, composés de briques. Là, le bâtiment où l'on procédait au tatouage, dont elle est sortie un jour d'avril 1944 l'avant-bras à jamais frappé d'une autre identité. D'une identité censée l'extraire de la communauté des hommes... Les nazis n'avaient pas compris que, même s'ils poussaient leurs victimes à adopter un comportement de bêtes en se nourrissant d'épluchures, ils ne réussiraient jamais à en faire des animaux ; qu'ils auraient toujours face à eux des hommes, doués de langage, capables de s'entraider alors qu'autour d'eux le pire était aux commandes.

Ici le pavillon où s'effectuait le tri des vêtements.

Et puis ces allées interminables. Ces allées qui conduisent vers les chambres à gaz et les fours crématoires.

En abandonnant le camp, les nazis ont tenté de détruire les traces de leurs crimes. Ils ont dynamité le petit périmètre où leur folie sanglante s'était exprimée avec le plus de vigueur. Pourtant, Simone reconnaît les lieux.

Elle identifie les escaliers qu'empruntaient les condamnés. Il n'y a plus aujourd'hui, en bas des marches, que des pans de briques écroulés. Il ne reste qu'une chambre à gaz dans le camp souche d'Auschwitz, et des fours crématoires, comme preuve que tout cela a existé. Et un bilan, lui, indestructible : l'extermination de six millions de Juifs.

Brusquement, l'épais brouillard qui enveloppait l'endroit depuis leur arrivée se dissipe, levant le rideau sur un paysage lugubre et étrange. Les branches des arbres sont couvertes de givre, la réverbération du soleil sur la neige donne à cet endroit une clarté que Simone n'avait jamais connue : le ciel était toujours noyé sous la fumée noire, vomie par les cheminées des fours crématoires, saturé d'une odeur de mort.

Simone se rappelle les corps qui brûlent de jour comme de nuit. Elle raconte.

Et tout en parlant, tandis qu'elle marche en direction de la grande route, se rapprochant du village tout proche, avec ses maisons, ses habitants qui déblaient la neige, ses écoliers qui attendent le passage du bus, elle ne peut s'empêcher de se demander comment les parents et les grands-parents de ces gens considéraient le fait que les portes de l'enfer s'étaient ouvertes au bout de leurs potagers…

Simone guide à présent la petite troupe vers « sa » baraque. Au sein de l'immense complexe d'Auschwitz-Birkenau, des bâtiments comme celui-là se comptent par dizaines. Tous identiques. Une quarantaine de mètres de long pour une dizaine de large, un peu plus de deux mètres cinquante en hauteur. L'allée centrale est encadrée par une rangée de poutres soutenant la charpente. De part et d'autre, ce sont des lits superposés ou les fameux bat-flanc en bois à trois niveaux sur lesquels s'entassent chaque nuit une quinzaine de personnes. En moyenne, une baraque accueille quatre cents prisonniers. Un tunnel. Sombre.

On progresse en silence. Simone s'arrête devant la *koya* de Marceline. *Koya*, c'est comme ça, par son terme polonais, que les prisonnières désignaient leur châlit, ou couchette. C'est ici que Simone a rencontré Marceline, son irremplaçable amie. En face, elle dort aux côtés de sa mère et de sa sœur Milou.

Ceux qui l'accompagnent sont sidérés. D'Auschwitz, ils ont vu des images, parfois par centaines. Rien qui puisse approcher la confrontation avec le réel. Là encore, ils se retirent, tandis que Simone ferme les yeux en posant la main sur la planche qu'occupait sa mère.

Plus loin, les zones muséifiées du camp. À proximité du porche surmonté de l'ignoble « *Arbeit macht frei* » (« Travailler rend libre »), des vitrines renfermant d'inimaginables quantités de valises, de chaussures d'adultes, d'enfants dans la suivante, de lunettes, et des cheveux entremêlés qui forment comme de petites montagnes – des montagnes de cheveux…

Toute l'horreur du projet nazi concentrée à l'intérieur de cette succession d'armoires transparentes.

Simone ne s'attarde pas…

Le regard brouillé, elle se dirige vers l'endroit où les convois de déportés venus de toute l'Europe achevaient leur interminable voyage en enfer. Elle approche de la macabre « *Judenramp* », « Rampe des Juifs », « Rampe de la mort »… Peu importe le nom qu'on lui donne. Autour du terminus de la gare du camp de concentration s'opérait la sélection de ceux qui bénéficieraient de quelques jours de vie supplémentaires. Et les autres, conduits en file indienne vers les chambres à gaz.

La tête de Simone est pleine des images des wagons tressautant sur les voies, les roues qui crissent, les portes qui claquent, les lampes torches et les aboiements des chiens, le médecin SS qui décrète d'un signe de la main qui vivra et qui mourra.

Alain Genestar l'observe en silence. S'approche. Lui offre son bras, sur lequel, finalement, elle accepte de s'appuyer pour arpenter, l'espace de quelques mètres, ces rails qui ont expédié des millions de gens à la mort. Le directeur de *Paris Match* sent bien que l'instant est hors norme. Il s'éloigne un peu, laissant Simone poursuivre seule. Le photographe immortalise la scène. Son cliché fera la une de la prochaine édition de l'hebdomadaire. Simone fixe l'objectif, elle a le regard embué de larmes.

Derrière elle, la voie de chemin de fer enneigée passant sous l'entrée principale.

Dans l'avion qui la ramène à Paris, Simone repense aux heures qu'elle vient de vivre. Elle se sent soulagée. Elle leur a montré. Ses enfants et petits-enfants ont vu. Avec leur chair.

Au cours de l'entretien qu'elle lui accorde pendant le trajet de retour, Simone répond à Alain Genestar, qui lui demande s'il lui est arrivé de prier au cours de ses mois de déportation, sans hésiter : « Non, il n'y avait pas de place pour Dieu dans le camp. »

« Là-bas, je n'ai jamais pleuré, c'était au-delà des larmes », ajoute-t-elle.

Ce voyage fut celui de la transmission. Témoigner a pris aux yeux de Simone la dimension d'une nécessité aussi urgente que cruciale. Elle qui n'a jamais supporté d'entendre : « Je comprends ce que vous avez vécu », a désormais peur que le monde oublie.

Une enfance sous le soleil de la Côte d'Azur

Nice, 1932

Simone a cinq ans et elle n'aime pas sa nouvelle chambre. Elle se demande pourquoi on l'oblige tout d'un coup à partager un domaine dont elle avait jusque-là toujours été l'unique maître, avec ses deux sœurs aînées. À quel méchant coup du sort la fillette au caractère déjà bien trempé doit-elle ce brusque changement de standing ?

À l'effondrement de la Bourse de New York le 24 octobre 1929.

André Jacob est architecte à Nice. Souvent, sa fille Simone l'observe à sa table de travail, traçant les formes élégantes d'une villa qui s'ajoutera bientôt à celles dont se couvrent les rives de la Méditerranée, de Fréjus à Menton. L'enfant assiste à la naissance du mythe de la Côte d'Azur et à l'essor de la Riviera. Puis à sa brutale interruption, effet collatéral du cataclysme qui vient de se produire à Wall Street. La bourgeoisie d'affaires internationale, principale cliente du père de Simone, n'est plus en mesure de financer ses projets de villégiature dans le sud de la France : conséquence immédiate, la famille est contrainte d'abandonner le bel appartement qu'elle occupait avenue Clemenceau – où Simone possédait sa propre chambre –, pour s'installer dans le quartier plus modeste de la rue Cluvier. La situation est sérieuse : André va jusqu'à vendre la voiture familiale.

Rude revers de fortune ! Lorsqu'en 1924, deux ans après son mariage avec Yvonne, André s'embarque vers la Côte d'Azur avec femme et enfants, c'est parce qu'il est sûr d'y trouver l'eldorado où pourront s'épanouir ses rêves.

À Nice, trois ans plus tard, le 13 juillet 1927, la famille Jacob s'enrichit d'un sixième membre. Yvonne donne naissance à Simone, son quatrième enfant. Les trois autres, alors âgés de quatre, trois et deux ans, se prénomment respectivement Madeleine – surnommée Milou –, Denise et Jean.

Autant Simone adore voir son père manier crayon, gomme et règle, autant elle aime assister aux longs moments que sa mère passe devant le miroir. La fillette s'émerveille des mèches relevées du chignon, du corps longiligne ; et puis ce profil à la Greta Garbo… Simone est trop jeune pour concevoir pareil rapprochement entre sa mère et la star de Hollywood. En revanche, le compliment est presque devenu rituel parmi les amis du couple.

En plus d'être d'une extrême élégance, Yvonne est un modèle de tendresse maternelle. Entre ses bras toujours accueillants, Simone oublie pour quelques instants un monde dont, obscurément, elle perçoit déjà la dureté.

Yvonne témoigne à l'égard de chacun de ses enfants de la même disponibilité, des mêmes élans d'amour maternel et d'affection protectrice. Souvent, le soir, les petits corps des trois sœurs investissent le lit conjugal, se déployant en demi-cercle, allongés sur le ventre et la tête entre les mains autour de leur mère. Et on discute. On pose des questions…

L'irruption d'André signe la fin des conciliabules entre mère et filles. Il expédie vers leurs chambres Simone et ses sœurs avec dans la voix une pointe d'agacement.

Simone comprend assez tôt que derrière les sourires de sa mère se cache une grande mélancolie. Elle a appris à reconnaître cette ombre dans ses yeux, qui voile parfois son regard. Yvonne éprouve comme un manque. Avant de se marier, elle a poursuivi de brillantes études en chimie, qui auraient pu lui ouvrir les portes d'une prometteuse carrière.

Quand le couple déménage de Paris à Nice, André s'oppose à ce qu'elle se lance dans la recherche d'un emploi. Il assumera seul, dit-il, les besoins du foyer. Elle y voit d'abord l'attention d'un homme amoureux. Sauf que les démonstrations de galante sollicitude de son époux prennent de plus en plus des airs d'injonctions. Au fil de ses conversations avec lui afin de débattre des rôles et des fonctions de chacun au sein du couple, elle se rend compte que la marge de négociation est singulièrement réduite. En fait, elle restera à la maison. Un point c'est tout !

Dès lors, elle n'aura de cesse d'exhorter ses filles à mener leurs études aussi loin que possible et à se former à un travail. Autrement dit, à assurer les conditions de leur autonomie.

Yvonne compense néanmoins ses hypothétiques frustrations professionnelles par les bonheurs immenses que lui procure son métier de mère.

Sur les rares clichés de l'époque, les sourires, les regards rieurs, les expressions vibrantes d'espièglerie éclairant les visages des membres de la famille témoignent d'une incroyable joie de vivre. Milou, l'aînée, jolie brune à la chevelure ondulante, pose, pleine d'assurance, les mains sur les hanches. Denise a le visage encadré d'un joli carré clair. Elle porte la même robe que sa sœur. Et il y a Jean, le plus proche en âge de Simone, cheveux blonds, visage d'ange. L'une des photos montre la cadette avachie entre les bras de sa mère, elle-même étendue sur un transat occupée à contempler la Méditerranée. Simone a les cheveux noirs ; elle connaît sans doute la période la plus douce de son existence.

Souvent, Simone passe ses week-ends chez son amie Laurence, à la villa Kérylos ; immense bâtisse inspirée de la Grèce antique.

Ce petit coin de paradis digne d'un palais se dresse à l'aplomb d'un promontoire léché par les vagues de la Méditerranée, à Beaulieu-sur-Mer, quelques kilomètres à l'est de Nice. Dans le coin, en dehors peut-être de la villa Ephrussi de Rothschild avec ses jardins féeriques, il existe peu d'endroits aussi fascinants que cette libre reproduction du palais d'un aristocrate grec qui vivait à Délos deux mille deux cents ans plus tôt.

Là, affranchie d'une présence paternelle parfois pesante, qu'il lui arrive même de trouver envahissante, Simone se sent vivre pleinement. Elle oublie les altercations avec son père à propos de tout et de rien. C'est qu'il la gronde souvent tant elle n'a de cesse de contester son autorité. Il a même pris certaines mesures. À table, il l'installe toujours à sa droite pour la surveiller.

Avec Laurence, elle passe des heures à contempler la mer et à se remémorer leurs aventures chez les Éclaireurs, une organisation scoute féminine. Les camps qui ont lieu pendant les vacances scolaires sont l'occasion pour les adolescentes de goûter aux joies de la liberté.

Simone et ses amies font l'expérience d'une certaine sociabilité, de l'entraide, de la vie en communauté. Elles apprennent à se débrouiller seules, à s'assumer, à prendre des initiatives…

Ses camarades ont baptisé Simone « Lièvre agité ». Pour ses emportements inopinés. Mais ce qui semble la caractériser en premier lieu, c'est, alors qu'elle est parmi les plus jeunes du groupe, son âme de chef.

1939

C'est l'été. C'est le temps béni des vacances. Mais une épidémie de scarlatine entraîne l'interruption immédiate du camp estival des Éclaireurs. Il faut se séparer. Simone est déçue.

Ce retour anticipé au sein de l'appartement familial la fait frissonner d'ennui. Mais, au regard de ce qui s'annonce, ses agacements d'adolescente perturbée dans ses projets de vacances lui apparaîtront bientôt comme dérisoires. Elle apprend de la bouche de son père que l'Allemagne s'est emparée de la Pologne. En quelques heures. Le surlendemain, 3 septembre, France et Royaume-Uni déclarent la guerre à Hitler.

L'insouciance de Simone est morte au cours de ces premiers jours de septembre 1939. « Le paradis de l'enfance était en train de s'engloutir. »

Au cours de ces longues semaines, de ces mois interminables qui voient l'Europe s'avancer inexorablement vers la guerre, Yvonne éprouve, qui grandit en elle, le pressentiment que se profilent, imminentes, des heures atroces. Ses impressions ne naissent pas complètement de nulle part. Elle a pour partenaire de tennis le philosophe Raymond Aron. Il lui a raconté ce qu'il a pu observer lorsque, il y a encore peu de temps, il était étudiant en Allemagne. Il lui parle des progrès fulgurants accomplis par les thèses nazies au sein de la société allemande, de cet antisémitisme désormais ordinaire, du racisme, de l'outrance ordurière, du harcèlement parfois meurtrier dont les opposants sont la cible…

Yvonne s'inquiète. André relativise.

Simone ne comprend pas l'attitude de son père. Est-ce de l'aveuglement ? La peur d'affronter le réel ? Il voit bien, pourtant, ces réfugiés juifs qui fuient, en nombre toujours plus grand, les zones où s'exerce désormais la loi nazie.

Yvonne s'investit sans compter pour porter assistance à ces personnes privées de tout. Elle se démène afin de les nourrir, les habiller, les loger… parfois jusque dans son propre appartement.

Simone a douze ans. Elle écoute les récits des déracinés. Elle n'est qu'une enfant, cependant, elle n'a pas besoin de déployer de furieux efforts d'imagination pour comprendre ce qui est en train de se passer.

La France est en guerre avec l'Allemagne. Dans les territoires conquis par le Reich, on pourchasse les Juifs, on saccage leurs commerces, on leur interdit de travailler, on les chasse de la fonction publique, des universités ; partout on leur intime le silence, on les assassine en plein jour, les livres, les œuvres des écrivains et artistes juifs sont brûlés en place publique… on les efface. Paris a déclaré la guerre à Berlin. Donc, à un moment ou à un autre, mais qui ne peut être qu'imminent, la France, les Juifs de France risquent de se retrouver dans la situation que connaissent les Juifs habitant les pays passés à l'heure du IIIe Reich. Ce n'est qu'une hypothèse, bien sûr. Rien n'interdit de supposer que la nation sortira victorieuse d'un affrontement avec son voisin. Mais c'est tout de même une hypothèse plausible. Pourtant, André persiste à assister en spectateur passif à la montée du péril. La France est en train de perdre la guerre.

Poussé par son épouse, André a finalement consenti à mettre ses enfants en sécurité dans l'ouest de la France quand, le 10 mai 1940, débute l'offensive allemande. Simone, son frère et ses sœurs sont envoyés chez une tante et un oncle près de Toulouse. La parenthèse ne dure que quelques jours. Au mois de juin, le couple choisit de répondre à l'appel du général de Gaulle et rejoint Londres, renvoyant les enfants Jacob sur la Côte d'Azur.

À Nice, la situation ne cesse de se dégrader. Simone se rend chaque matin au collège, mais elle consacre son temps libre à aider sa mère, notamment pour trouver des rations de nourriture décentes alors que la ville connaît un commencement de pénurie. Tandis que les ventres de ses enfants sont de plus en plus souvent tiraillés par la faim, l'inquiétude d'Yvonne grandit.

Après un an de guerre sur le sol français, les Allemands occupent la moitié nord du pays. Dans la partie sud du territoire, ce qu'on appelle la zone libre, le maréchal Pétain est aux commandes. Même si la situation n'est pas tellement plus enviable de ce côté-là, au moins la situation des Juifs de France s'y trouve-t-elle un peu moins critique. Ça ne durera pas.

De la zone occupée affluent vers le sud des milliers de Juifs fuyant la mort. Ils vivent, la peur au ventre, astreints à la clandestinité. En octobre 1940, le gouvernement de Vichy promulgue les premières mesures antisémites. Certaines professions sont proscrites aux Juifs. Dont celle d'architecte.

André se retrouve du jour au lendemain sans travail.

Simone, fillette de treize ans entrant à peine dans l'adolescence, montre pour son âge une étonnante lucidité. Elle s'inquiète. S'en ouvre à son père. André la rassure, il fait confiance au Maréchal, convaincu que les nazis, qu'il appelle dédaigneusement les Boches depuis qu'il a été leur prisonnier au cours de la Première Guerre mondiale, ne prendront jamais le contrôle de Nice. André s'évertue à répéter qu'il croit en la République française, qui, jamais, n'abandonnera « ses Juifs ».

Un an s'écoule. Le gouvernement de collaboration franchit un nouveau cap. Un décret rend dorénavant obligatoire l'enregistrement des Juifs auprès de leur préfecture.

André a entendu les témoignages de réfugiés. Qu'ils viennent de la zone occupée ou des régions de l'est de l'Europe devenues le théâtre d'ineffables cruautés. Il a aussi écouté les récits de sa femme lui décrivant les souffrances de ceux qu'elle recueille, soigne, nourrit, console, après qu'ils ont traversé l'enfer. Il a bien dû prêter une oreille, même discrète, à ceux de Simone, qui assiste sa mère dès qu'elle a un moment libre. Mais il refuse de se rendre à l'évidence avec entêtement.

Simone reproche à son père sa décision de céder si vite aux injonctions du gouvernement de Vichy. André ne prête aucune attention aux préventions de sa fille. Déterminé à se conformer à la loi nouvelle, il marche vers le vestibule de l'appartement. Simone est plus rapide. Elle se plante devant l'entrée. Tente de le faire revenir sur sa décision. Sans le moindre effet. André repousse sa fille et sort en claquant la porte.

Il est de retour quelques heures plus tard.

Sur la table du salon s'étalent les cartes d'identité de la famille Jacob frappées d'un nouveau tampon portant le mot : « JUIF ».

9 septembre 1943

Simone se souvient s'être dit que la date du 9 septembre 1943 marquait le début de la tragédie de sa vie. Depuis les fenêtres de l'appartement familial, elle observe, stupéfaite, les troupes allemandes qui paradent dans le centre-ville. Elle découvre l'apparence, l'uniforme, l'impeccable maintien ; elle s'imprègne des traits de l'assassin de masse, serein et juvénile, sûr de lui ; elle contemple, fascinée, les représentants de l'élite de l'appareil nazi : les officiers de la Gestapo.

Ces derniers posent leurs bagages à moins d'un kilomètre de là. Au luxueux hôtel Excelsior, appelé à devenir leur quartier général.

On est en septembre 1943. Jusqu'à présent, Nice avait, toutes proportions gardées, bénéficié d'un relatif régime de faveur. À partir de novembre 1942, la ville était tombée sous la férule de l'Italie mussolinienne, partenaire imprévisible de l'Allemagne nazie, qui avait toujours vigoureusement revendiqué son hostilité à la politique antijuive de Hitler. En comparaison du climat de terreur régnant sur la quasi-totalité du territoire français, Nice offrait des allures de refuge.

Si les Jacob ont déjà pu se représenter à quelles horreurs s'exposaient les Juifs tombés entre les mains des nazis, ils ignorent sans doute, par exemple, qu'au cours de l'été précédent, pendant la nuit du 16 juillet 1942, plus de treize mille hommes, femmes, vieillards et enfants ont été raflés à Paris au simple prétexte qu'ils étaient juifs. Ce sont la police et la gendarmerie françaises qui se sont chargées de la besogne, avec un zèle irréprochable, assurant la logistique et fournissant l'infrastructure – en l'occurrence le Vélodrome d'Hiver, à quelques dizaines de mètres de la Seine.

Arrivés à trois heures du matin, ils y restent cinq jours, survivant tels des prisonniers, sans aucune nourriture et disposant de très peu d'eau. Ils ont ensuite été envoyés vers les camps de Pithiviers, Beaune-la-Rolande et Drancy, première étape de la déportation avant les camps d'extermination allemands.

Les autorités d'occupation éprouvent vis-à-vis de l'empressement dont témoignent les Français à anticiper leurs attentes un mélange de surprise et de gratitude.

Depuis le mois de juin 1942, les nazis ont lancé une vaste offensive en Europe. Baptisée « Vent printanier », cette rafle géante doit permettre l'arrestation de plus de cent dix mille Juifs sur le sol français. Depuis cette date, les coups de filet se multiplient, et de nombreux Juifs ont fui la région parisienne pour la zone libre. Le territoire annexé par les Allemands s'est étendu jusqu'aux départements du Sud-Est, dont les Alpes-Maritimes, jusqu'alors sous domination italienne. La ville de Nice est dans leur viseur. Les Allemands souhaitent capturer un maximum de Juifs parmi les plus de trente mille à s'y être réfugiés. C'est la mission qui a été confiée à un Autrichien envoyé par Hitler : Alois Brunner.

Au cours de l'année 1939, cet homme a été l'artisan de l'éradication des Juifs d'Autriche. Près de cinquante mille personnes déportées, puis exterminées.

En février 1943, il a envoyé à la mort les quarante-trois mille membres de la communauté juive de la ville grecque de Salonique. Entre mai et septembre 1943, on lui confie la gestion du camp de Drancy. Au cours des quatre mois que dure sa mission, il organise la déportation de vingt-cinq mille Juifs de France.

Alois Brunner est âgé de trente et un ans. Il s'apprête à fournir une nouvelle preuve de ses talents d'expert en extermination de masse lorsqu'il investit Nice à la fin de l'été 1943.

Aussitôt, les rafles se succèdent à un rythme effréné.

Simone apprend que l'une de ses meilleures amies, une camarade du lycée, a été arrêtée avec toute sa famille. André prend soudain conscience de la gravité de la situation. En moins d'une semaine, il obtient de faux papiers pour son épouse, ses enfants et lui.

Simone Jacob s'appelle désormais Simone Jacquier. Ça sonne bien et, surtout, « ça ne sonne plus juif ».

La famille est l'objet d'autres bouleversements. À presque vingt ans, Denise a décidé de rejoindre la Résistance dans la région lyonnaise. Jean, Milou et Simone sont envoyés dans trois familles non juives pour se cacher. Les parents se font prêter un appartement par un ancien collègue d'André, dessinateur qu'il a connu lorsqu'on l'autorisait encore à exercer son métier d'architecte.

En quelques heures, la famille est dispersée. L'affliction de Simone est immense. Toutefois, elle se console en sachant qu'elle pourra voir sa sœur Milou à tout moment, puisque les deux filles ont trouvé refuge dans le même immeuble. Simone découvre jour après jour l'appartement bourgeois des Villeroy et le quotidien de sa nouvelle famille, héritière des célèbres porcelainiers. Le couple a trois enfants, tous plus jeunes que Simone. Tandis qu'elle est obnubilée par la préparation de son baccalauréat, elle est fascinée par leur insouciance. Son rêve : devenir avocate. Seule sa mère est au courant de ses ambitions secrètes. Une petite pierre supplémentaire à l'édifice de leur complicité. À mesure que les mois passent et que se rapproche l'échéance, Simone espère que l'occupation allemande ne va pas foudroyer ses ambitions en plein vol.

Les choses ne se présentent toutefois pas sous les meilleurs auspices. Deux mois après la rentrée de 1943, Simone est convoquée par le proviseur. C'est une femme. Des élèves et des professeurs ont été arrêtés, lui dit-elle. La jeune fille se sent protégée par sa fausse identité, sa fausse adresse, sa fausse famille. La proviseur considère la situation sous une tout autre perspective. Mentir afin d'assurer sa protection est désormais la source de dangers considérables. Qu'elle ne peut plus assumer. Simone ne laisse rien paraître de l'émotion qui la submerge.

Malgré tout, elle est autorisée à se présenter aux épreuves du bac, programmées cette année-là en mars en raison de l'Occupation.

Dès lors, elle travaille sans relâche, soutenue par madame Villeroy, professeur de lettres, et fréquentant assidûment, en dépit du danger, la bibliothèque de son quartier. Simone s'enferme à l'intérieur d'une bulle où la guerre n'existe plus.

La guerre existe, pourtant. Elle ne peut y échapper. Elle est là, partout, spectaculaire et saturée de drames. Chaque nuit, les Allemands investissent un quartier, dont ils balayent les façades et les cours d'immeubles de puissants projecteurs. Ils traquent les Juifs, pénètrent dans chaque appartement, vérifient les identités, fouillent les placards, cherchent les éventuelles cachettes… Toutes les nuits, des hommes, des femmes, des enfants sont jetés à l'arrière de camions et disparaissent on ne sait où.

Simone se réfugie dans la révision de ses examens. Ça ne suffit toutefois pas à évacuer l'angoisse qui, insidieusement, colonise son esprit. Elle a la certitude qu'elle finira par être arrêtée.

29 mars 1944. Mademoiselle Simone Jacob se présente aux épreuves du baccalauréat sous sa véritable identité, telle qu'elle est enregistrée dans les fichiers de l'administration. Alors qu'elle était terrifiée à l'idée d'être interpellée, elle reste concentrée et discrète. Rien ne la distingue entre les allées parfaitement rectilignes et bordées de pupitres au-dessus desquels se penchent des visages juvéniles inquiets.

Aucune rafle n'a perturbé la journée. Simone est soulagée.

30 mars 1944

Le lendemain, pour la première fois depuis longtemps, Simone se réveille l'esprit serein, tout à la joie des plaisirs dont ce nouveau jour porte les promesses. Un chaud soleil de printemps caresse le parquet lustré de l'appartement, elle est délivrée des studieuses séances de révision qui ont rythmé les journées de ces dernières semaines, elle repense aux heures de la veille avec la satisfaction du devoir accompli, et ses camarades de classe lui ont donné rendez-vous afin de célébrer la fin des épreuves.

Un ami l'attend devant l'immeuble. Le fait qu'il ne soit pas juif la tranquillise un peu, lui procurant une vague impression de sécurité. Ils évitent toutefois les grandes artères, histoire de réduire les risques de tomber nez à nez avec une patrouille de la Gestapo, et se faufilent à l'ombre des ruelles du vieux Nice. Alors que les deux adolescents avancent, l'humeur joyeuse et insouciante, deux Allemands en civil se plantent devant eux. Vérification d'identité. Simone présente la carte factice. Elle ne tremble pas, affiche un naturel, un cran qui ressemble à la nonchalance de qui n'a aucune raison de s'inquiéter. L'officier toise la jeune fille : « Ce document est un faux ! » lance-t-il. Elle ne se démonte pas. « Je m'appelle Simone Jacquier. Cette carte d'identité est la mienne. »

L'aplomb de l'adolescente ne suffit pas. Alois Brunner exige des résultats. Il veut des chiffres. Il est bien résolu à vider Nice de ses Juifs.

Les deux amis sont conduits au quartier général de la Gestapo.

Simone connaît la sinistre réputation acquise en quelques semaines par l'hôtel Excelsior. Un homme l'introduit dans un bureau. L'interrogatoire commence. Face à l'officier qui lui demande de décliner son identité, elle répète : « Mon nom est Simone Jacquier. » Le fonctionnaire nazi accueille d'un sourire narquois la réponse de la jeune fille. D'un dossier, il extrait des dizaines de faux papiers d'identité, ainsi que des imprimés vierges où figure apparemment le même tampon que sur sa propre carte. Manifestement, la filière clandestine auprès de laquelle André s'est approvisionné a été démantelée.

La gorge de Simone se serre. Une onde de panique parcourt son corps. L'officier vient de lui demander où elle vit. Elle comprend immédiatement que sa famille est en danger. Elle se contient, articule une adresse factice en maîtrisant les tremblements qui menacent de brouiller sa voix. L'interrogateur n'est pas dupe. Les papiers du jeune ami de Simone ayant été authentifiés, celui-ci sort libre de l'Excelsior. Il n'a prêté aucune attention aux somptueuses dorures qui ornent le hall, pas davantage aux hommes ayant franchi les portes du palace quelques secondes après lui et qui, à présent, ne le lâchent plus d'une semelle. Secoué, inquiet pour son amie, parfaitement conscient des périls, le cerveau du garçon ne résonne que d'une pensée éperdument urgente : prévenir les parents, le frère et les sœurs de Simone.

Mais, en essayant de les sauver, le jeune homme, qui a été suivi, les mène à leur perte.

Entre l'épisode fatidique de tout à l'heure et cette minute, trois, quatre, cinq heures se sont écoulées, à peine. Cette minute, c'est celle où Simone découvre, horrifiée, les visages d'Yvonne, Jean et Milou au milieu des salons de l'Excelsior.

La jeune fille est dévastée par la culpabilité. Leur présence ici, c'est sa faute. S'il ne lui avait pas pris la fantaisie de s'aventurer dans les rues, les siens seraient toujours en sécurité.

Après les embrassades et les pleurs vient l'attente. Interminable. Terrorisante. D'heure en heure, les lieux se remplissent de personnes interpellées. Leur nombre prend des proportions ahurissantes. La foule est parcourue des rumeurs les plus effrayantes. Simone s'emploie à y prêter le moins d'attention possible. Elle pense à son père. Oscille constamment entre angoisse et espoir. Incertitude insoutenable. Son visage n'apparaît pas parmi les infortunés qui affluent sans répit sous les dorures de l'établissement.

7 avril 1944

Simone est debout sur le quai de la gare de Drancy. Elle fait des efforts pour ne pas perdre sa mère de vue. Intuitivement, elle sent qu'une nouvelle étape a été franchie et se surprend à regretter les huit jours qu'elle vient de passer à l'Excelsior. C'est dire…

Drancy est éloigné de Paris d'une quinzaine de kilomètres, direction nord-est. Entre 1941 et 1944, Drancy est le principal camp d'internement pour les Juifs de France. L'endroit se présente sous la forme d'un vaste bâtiment en U de quatre étages, deux longues barres parallèles reliées par une plus petite. Quand la guerre éclate, le site n'est encore qu'un vaste chantier. Seule existe l'ossature. La façade, les escaliers, les couloirs, les ouvertures dépourvues de vitres… la poussière et le ciment.

Et il y a cette rumeur tenace, qui innerve toutes les conversations : Drancy n'est qu'une étape avant les camps de travail de l'Est, à la réputation cauchemardesque. Si ce que l'on dit est vrai, les tricots apportés à la hâte par des voisines, avec quelques affaires de toilette et des livres, leur seront fort utiles.

Afin de rassurer leurs enfants, certains parents racontent qu'ils partiront bientôt vers « *Pitchipoï* », terme d'origine yiddish tiré d'une chanson désignant une destination lointaine et mystérieuse.

Peu importe où ils seront emmenés, la seule chose

qui compte pour Simone, c'est que les quatre membres de la famille Jacob restent ensemble.

Au bout de quelques jours, un responsable du camp propose aux jeunes hommes de plus de seize ans qui souhaitent demeurer à Drancy de travailler pour l'organisation Todt – une main-d'œuvre peu onéreuse pour les chantiers nazis. Jean, âgé de dix-huit ans, hésite à quitter sa famille. Ils se sont toujours dit que, quoi qu'il arrive, ils ne se sépareraient pas. Mais Simone encourage son frère à saisir cette chance. Il se porte volontaire. Simone est soulagée de savoir que son frère restera en France. Qu'importe si leur éloignement doit durer quelques mois, ils se retrouveront après la guerre. Elle est persuadée que les Alliés ne tarderont pas à venir à bout du conflit.

Derniers regards remplis de larmes, ultime étreinte. L'instant se grave à jamais dans la mémoire de la petite sœur.

Elle ne le reverra plus.

Matricule 78651

15 avril 1944

Simone se hisse sur la pointe des pieds et colle son visage à la lucarne. L'air qui s'infiltre entre les mailles du grillage est une bénédiction. Le wagon est bondé, elle étouffe.

Elle ignore quelle région, quel pays elle traverse. Elle ne sait pas vers quelle destination la mène le train où, trois jours auparavant, depuis les quais de la gare de Bobigny, à cinq heures du matin, les soldats nazis l'ont forcée à embarquer avec des centaines d'autres personnes.

Au cœur d'une nuit d'avril 1944, les gardiens du camp de Drancy ont fait monter dans des bus les prisonniers dont les noms avaient été sélectionnés quelques heures plus tôt ; mille cinq cents personnes qui, le 13 avril 1944, entreraient dans l'histoire de l'extermination des Juifs d'Europe sous le nom de « convoi numéro 71 ». Entre le camp de Drancy et la gare de Bobigny, le trajet a duré quelques minutes à peine.

À l'intérieur du wagon, les conditions sont abominables. Les détenus y sont tellement nombreux qu'ils sont contraints de rester presque tout le temps en position debout, se relayant pour s'accroupir, prostrés, recroquevillés, la tête entre les mains, ou prenant à tour de rôle appui sur leur voisin pour s'assoupir quelques minutes ; la nourriture et l'eau manquent, les enfants pleurent, il n'y a qu'un seau en guise de toilettes, les gémissements des hommes, des femmes, de ceux qui sont malades… Quelques-uns sont si affaiblis par leur passage à Drancy qu'ils meurent au cours du voyage. L'odeur est intenable, le repos impossible…

Les portes des wagons s'ouvrent au bout du troisième jour. Le convoi a atteint la Pologne, sa destination finale. C'est la nuit. Les prisonniers viennent d'arriver au camp d'Auschwitz-Birkenau. Aboiements des chiens, SS hurlant des ordres dans une langue inconnue en direction de ceux qui, épuisés, sont jetés hors des wagons. Les puissants projecteurs braqués sur les mille cinq cents malheureux les empêchent d'apercevoir quoi que ce soit de ce qui les entoure. Yvonne serre ses filles contre elle.

Ensuite, la redoutable efficacité de la mécanique nazie s'enclenche. Des déportées du camp, vêtues d'habits rayés, font descendre les voyageurs hagards vers les quais, sous les ordres des kapos. Tandis qu'on mène enfants, vieillards et malades vers des camions, Simone se dégourdit les jambes aux côtés de sa mère et de Milou.

Puis le tri commence. Des médecins se livrent à un examen sommaire sur chacun des arrivants alignés sur le quai. Contrôle de la denture, brève évaluation de l'état général de santé. L'une après l'autre, les femmes de la famille Jacob déclinent leur âge : Yvonne, « quarante-trois ans », Madeleine, « vingt et un ans », Simone… Juste avant que vienne son tour, l'une des femmes en uniforme rayé lui a chuchoté de dissimuler son âge véritable, seize ans et demi, et d'affirmer qu'elle en a dix-huit. Le stratagème fonctionne, Simone reste avec sa mère et sa sœur.

Blotties l'une contre l'autre, les trois femmes se dirigent vers l'intérieur du camp, tandis que les camions les dépassent et s'enfoncent dans la nuit. En constatant la distance restant à parcourir, Simone regrette un instant de ne pas être grimpée à bord de l'un de ces véhicules. Elle longe des allées marécageuses semées de pierres invisibles dans l'obscurité. Au loin, elle devine les forêts de bouleaux si sombres. Ce sont d'elles que le lieu tire son nom. *Birkenau* est la traduction allemande de *brzezinka*, qui signifie « bouleaux » en polonais. Ce manteau d'ombre hérissé de squelettes désarticulés lui apparaît comme une nuit sans fond.

Les projecteurs éclairent des baraques à perte de vue entre lesquelles se faufilent des silhouettes fantomatiques et pressées. Simone n'a pas le temps de s'attarder sur ces furtives apparitions. On la pousse à l'intérieur du bâtiment où les nouveaux déportés se délestent de tous leurs effets personnels. Bijoux, livres, photographies, bagues de mariage, vêtements, l'ensemble du contenu des valises… tout est consigné avec un soin maniaque.

Alors, quand une amie de Nice qui a fait le voyage avec elle s'apprête à déposer un échantillon de parfum Lanvin, les jeunes filles s'en aspergent allègrement. Comme un ultime pied de nez à la tragédie.

Le règne de l'horreur s'impose par étapes. Après avoir été dépouillées des objets qui leur importaient le plus, dont la valeur sentimentale leur paraissait inestimable, voilà qu'on force à présent ces femmes à se raser le crâne, à se défaire de cette chevelure qui constituait une part de leur beauté. Simone ignore pourquoi, mais ce ne sera pas son cas.

Sous les ciseaux des coiffeurs d'Auschwitz se joue un nouvel acte du processus de déshumanisation ritualisé.

Ensuite, les douches. Jet brûlant, à la limite du supportable. Auquel succède une eau glaciale. On appelle ce stade du parcours « la désinfection ». Leurs vêtements ont été emportés. En l'absence de serviettes, elles ne peuvent se sécher. Pas le temps de protester, elles doivent enfiler des jupes trop longues, des caleçons déchirés, des chaussures dépareillées, dont manifestement d'autres se sont servis jusqu'à épuisement... En se revêtant de l'un de ces haillons, Simone songe à celle qui les a portés avant elle ; une adolescente de son âge, qui sait... une jeune bachelière... une fille à l'aube de s'initier aux multiples plaisirs de l'existence. Une fille qui aurait pu être elle...

Le degré suivant sur l'échelle de l'infamie, c'est le tatouage. À l'instar de tous ceux qui débarquent à Auschwitz, l'avant-bras gauche de Simone porte désormais pour l'éternité une inscription à l'encre noire et baveuse : le matricule 78651.

Première nuit à Auschwitz. Espérer fermer l'œil est hors de question. Simone s'inquiète pour Milou, si belle, si frêle. Et pour sa mère, affaiblie par son opération de la vésicule biliaire quelques semaines plus tôt.

La jeune fille s'accroche au fol d'espoir d'assister à la dissipation prochaine du cauchemar. Quelques semaines. Au plus quelques mois.

Elle reste assise par terre, prostrée, sans même pouvoir pleurer.

D'emblée, un principe a présidé au fonctionnement d'Auschwitz, constituant son essence et sa raison d'être : annihiler chez les détenus jusqu'à la dernière trace d'humanité, empêcher que puisse subsister au plus profond des individus le moindre recoin d'intimité, capable de fournir au prisonnier le sentiment de sa singularité.

Contraintes de dormir à quatre, cinq ou six sur des couchettes qui ne mesurent pas plus de deux mètres de large, Simone, Milou et leur mère découvrent leurs nouvelles conditions de vie.

La nourriture est répugnante. Deux fois par jour, dans le meilleur des cas, leur est servi un liquide qui n'a de soupe que le nom, qu'il faut laper comme un chien. Mais Simone reste un individu pétri d'humanité, même s'il faut parfois lutter – comme on le ferait au sein du règne animal – pour s'assurer les moyens de sa survie. Chaque jour, elle se défend pour ne pas se faire voler sa maigre portion par les autres détenues, toutes affamées. Simone se rend vite compte que c'est la loi du plus fort qui règne. Elle se doit d'être forte pour trois. À tout prix.

La couchette de Marceline est en face de celle de Simone. Marceline est rousse, elle a seize ans et elle est là sans ses parents.

Les relations que nouent les deux jeunes filles sont de même nature que celles qui se tisseraient entre n'importe quelles adolescentes du même âge, assez délurées pour avoir envie de jouer avec les limites. Sauf que le contexte de leur apprentissage de la transgression a pour nom Auschwitz. Cela rend leur audace d'autant plus incroyable.

Elles s'amusent à déjouer l'attention des gardiennes

pour voler de la nourriture dans les cuisines – quelques épluchures ou un bout de sucre, qui prennent ici valeur d'inestimable trésor –, ou s'adonner à leur occupation favorite, le troc. Elles échangent leur butin contre un bout de pain, une cuillère, un vêtement. Les transactions se déroulent à l'intérieur du « Canada », surnom donné au bâtiment où sont entreposés les biens dont on oblige les prisonniers à se délester lors de leur arrivée. Le « Canada » est le paradis de tous les trafics. Bagues, robes, lunettes, objets de pacotille, bibelots inestimables, sont volés et troqués avant d'être envoyés en Allemagne. Simone n'a pas peur de se faire prendre. Jusqu'à ce qu'elle comprenne que le camp où elle se trouve n'est pas un simple camp de travail forcé.

Marceline et Simone ne se contentent pas de chercher à améliorer leur ordinaire en infiltrant les interstices de la mécanique d'Auschwitz. Elles sont deux adolescentes curieuses, elles veulent comprendre ce qui se joue au sein d'un tel lieu. Elles se demandent, par exemple, ce que sont devenues certaines des personnes parties avec elles de Drancy et qui se sont évaporées tout de suite après leur arrivée en Pologne, lorsque les camions les ont emportées dans les profondeurs du camp.

Elles posent des questions, interrogent ceux qui ont voyagé avec elles. Mais, à leurs questions, des réponses qui n'en sont pas. Des regards gênés, d'ostentatoires silences, des visages fermés – ces visages qui sont ceux du peuple terrorisé d'Auschwitz… Ou des allusions, des gestes désignant les cheminées gigantesques se dressant là-bas, qui crachent en permanence une épaisse et une puante fumée noire.

Est-ce que Simone comprend à ce moment-là, en écoutant son interlocuteur lui déclarer, à propos de ceux partis avec elle de Drancy et qu'elle s'étonne de ne plus avoir jamais revus, « qu'ils sont partis au ciel », tout en indiquant de la main ces cheminées perpétuellement fumantes ? Est-ce que Simone prend conscience, réellement, que le régime apparu dix ans plus tôt en Allemagne s'est mis en tête d'éliminer les Juifs, ses semblables, de la surface du continent européen ?

En 1944, ni elle ni personne n'est en mesure de se représenter le projet monstrueux du IIIe Reich.

Quoi qu'il en soit, Simone a saisi en cet instant qu'elle, sa mère, Milou et les autres étaient, en tant que Juives, des mortes en sursis.

Avec Marceline, toutes les trois ont été affectées à des travaux de terrassement. Activité harassante. La vision de sa mère brisant des pierres à coups de masse est pour Simone le pire des spectacles. Les femmes font la connaissance de Ginette, qui a rejoint leur groupe : elles essaient autant que possible de rester entre Françaises. Pour tenir malgré tout. Ne pas céder aux inlassables provocations des kapos, Polonaises au regard assassin qui font pleuvoir les coups dès que la cadence baisse. Tenir quoi qu'il advienne. Tenir. La peur d'être gazées ne les a plus jamais quittées.

Les travaux de terrassement qui occupent les journées de Simone et de ses camarades ont un but. Qui les fait frémir lorsqu'elles le découvrent. Il s'agit de prolonger la rampe de débarquement jusqu'aux chambres à gaz.

Tout indique que l'administration d'Auschwitz cherche à maximiser le macabre rendement du camp.

Les événements paraissent s'accélérer. Hitler voit de jour en jour sa position se fragiliser. À l'Est, la Wehrmacht enchaîne les débâcles ; en France, la Résistance occasionne des dommages toujours plus importants et force l'occupant à monopoliser des moyens considérables.

Auschwitz est inondé d'instructions en provenance de la capitale du Reich, exigeant des cadences intenables, pour accélérer le processus d'extermination. Tout aussi fanatiques que leurs maîtres, les SS qui sont à la tête du camp font ce qu'ils peuvent pour satisfaire aux désirs de Berlin.

Alors on réclame de Simone et de ses compagnes des efforts inhumains.

Simone est là depuis un mois. À partir du 15 mai 1944, les convois se succèdent à un rythme effréné, déversant, de jour comme de nuit, leurs cohortes de malheureux à l'air hagard. Déjà morts. Durant ces semaines terribles de l'hiver et du printemps 1944, quatre cent trente mille Juifs de Hongrie sont déportés à Auschwitz. Au moins la moitié d'entre eux passent directement des wagons à bestiaux aux chambres à gaz. Les fours crématoires fonctionnent à plein régime. Simone se souvient de l'odeur diffuse de chair brûlée qui circule à l'intérieur du camp.

Comment supporter pareil cauchemar ? Comment repousser les assauts de la folie ? Par l'affection de ses proches. Et par l'amour. La chance. Une certaine aptitude personnelle, aussi. Une force, une volonté de vivre, qui sortent de l'ordinaire.

Ne supportant plus le rythme harassant auquel elles sont quotidiennement soumises, les kapos polonaises gueulant leurs ordres sans relâche, la puanteur, les humiliations continuelles… Marceline et Simone mettent au point une ruse qui doit leur permettre de déjouer, au moins pour quelques salutaires heures, l'attention des SS. Mais Yvonne ne doit pas être au courant. Un matin, après l'appel, les deux adolescentes réussissent à se soustraire à la vigilance des gardiens et rejoignent leur *koya*. Elles se blottissent sous les couvertures, le ventre noué. Elles renouvellent une ou deux fois l'expérience, malgré la peur, heureuses et fières d'avoir repris quelques forces.

Juillet 1944

Depuis trois mois qu'elle vit au milieu de cet enfer, Simone connaît le rituel par cœur. Elle vient de passer une nuit agitée en compagnie des rats et de la vermine. Trois heures du matin. Bientôt l'appel. Il faut rejoindre les autres avant de retourner sur le chantier.

Comme tous les pensionnaires d'Auschwitz, Simone a nourri des projets d'évasion. Vite étouffés par le spectacle des clôtures électrifiées qui ceignent le camp, les miradors, les chiens, les patrouilles continuelles, les projecteurs qui balaient inlassablement l'espace…

Bientôt les rumeurs d'un débarquement circulent : un fragment de page de journal trouvé dans une allée du camp lui apprend que les Alliés ont lancé une vaste offensive depuis les côtes françaises. Si la France est libérée, elle se dit que la Pologne le sera bientôt aussi…

Ces pensées occupent son esprit pendant cette heure passée au milieu de ses camarades réunies dans la cour, tandis que s'éternise la monotone énumération des noms contenus sur la liste au son de l'orchestre.

Sa rêverie s'interrompt brusquement. Une voix vient de prononcer son nom. C'est celle de la redoutable

Stenia. Grande, brune, constamment vêtue de noir, cette femme est une ancienne prostituée polonaise reconvertie en gardienne de camp d'extermination.

Elle demande à Simone de sortir des rangs. En silence, pendant des secondes qui semblent des heures, elle la dévisage. Puis, d'une voix qui claque, elle dit : « Toi, t'es bien trop belle pour mourir ! »

Stenia lui fait une offre : être transférée au camp de Bobrek, sorte d'annexe d'Auschwitz située à moins de dix kilomètres du camp et ouverte il y a quelques mois afin de pallier son engorgement…

Simone a peur que ce soit un piège. La gardienne traîne une réputation épouvantable où la réalité se confond avec des rumeurs l'accusant d'avoir tué un enfant. Ne porte-t-elle pas le triangle vert inversé des criminels de droit commun ? Comme elle parle allemand, elle aurait échappé à la peine de mort en échange d'un emprisonnement à vie. On l'accuse aussi de négocier ses faveurs avec les détenues qu'elle protège.

À la proposition de Sténia, Simone impose une condition : que sa mère et sa sœur l'accompagnent. Surprise par un tel culot, Stenia accepte et relève le matricule des trois femmes. Marceline, qui assiste à la scène, reste sans voix et les regarde s'éloigner. La beauté de son amie vient peut-être de lui éviter le pire…

Par rapport à Auschwitz, le camp de travail de Bobrek est une sorte de stade intermédiaire, sans chambre à gaz. En comparaison des mois que viennent de passer les trois femmes au cœur du pire, Bobrek ressemble à une délivrance.

Pendant que, à quelques kilomètres de là, des techniciens inquiets veillent sur des fours crématoires en surchauffe, dans lesquels, jour et nuit, les corps de milliers de déportés sont réduits en cendres, Simone, Milou et Yvonne reprennent espoir.

La population du camp de Bobrek compte environ deux cent cinquante déportés hommes, auxquels s'ajoutent une quarantaine de femmes. La majorité du commando est affectée à l'usine du camp, un hangar où sont fabriquées des pièces métallurgiques destinées à l'usine Siemens, fleuron de l'industrie de guerre allemande. Pour une raison qu'elles ignorent, Simone, sa mère et sa sœur sont réquisitionnées pour des travaux de terrassement et de maçonnerie. Il s'agit de dépierrer des champs de raves, puis d'élever des murs.

Le travail est aussi dur qu'à Birkenau, mais les trois femmes savent qu'elles ne risquent pas à chaque instant d'être conduites vers les chambres.

Pourtant, la menace d'être renvoyées à Birkenau pèse en permanence. Au moindre écart, à la moindre faiblesse, elles sont susceptibles de parcourir les cinq kilomètres inverses. Or, Simone s'inquiète pour sa mère. Yvonne s'amaigrit dans des proportions inquiétantes. La cadette des enfants Jacob manifeste, à ce moment-là, des capacités d'adaptation qui, selon toute apparence, sortent de l'ordinaire. Elle fait même de plus en plus office de chef de famille.

Comme la soupe est plus consistante qu'à Birkenau, elle réserve à sa mère une pomme de terre quand elle a la chance d'en trouver une surnageant au milieu du brouet d'eau et d'orties qu'on leur sert chaque soir.

Simone fête son dix-septième anniversaire à Bobrek. Un SS l'apprend. Il lui offre un quignon de pain. Ce bout de pain est une aubaine, voilà tout, qu'elle s'empresse d'apporter à sa mère en espérant qu'elle y puisera quelque force.

Yvonne n'a pas toujours l'énergie d'affronter celles qui cherchent à s'emparer de sa ration au moment de la distribution des repas. Repas inexistants. Et qui, malgré leur inexistence, déclenchent la furieuse convoitise des autres détenus. Affamés. Rendus fous par des mois de privation. Avec une rage insoupçonnée, Simone se charge de protéger sa mère.

Simone paraît se préoccuper de tous. Mais qui s'inquiète pour elle ? Un jeune homme…

Il est autrichien, s'appelle Paul et est francophone. Un dimanche sur deux, quand ils ne travaillent pas, les deux adolescents se fixent rendez-vous de part et d'autre du grillage séparant le camp des femmes de celui des hommes.

De quoi, dans un tel contexte, deux adolescents parlent-ils ?

Ils se racontent leur vie d'avant, se soutiennent, envisagent les chances qu'ils ont de s'en sortir et rêvent à leur avenir, incertain… Il chuchote son prénom, fait rare au camp où tout le monde s'appelle par son matricule. Paul est fasciné par Simone, qu'il trouve très belle.

Jamais Simone ne sourit.

18 janvier 1945

La nouvelle s'est propagée à la vitesse de l'éclair. Le départ est imminent. Personne ne connaît la destination. Les prisonniers s'inquiètent de la nervosité qui s'est emparée des officiers SS. Ils perdent un peu leur sang-froid. Est-ce bon signe ?

Cela se passe le 18 janvier 1945.

Ordre de rassemblement immédiat. Simone, sa mère et sa sœur se retrouvent devant l'usine. Comptabilisation des prisonniers, vérification des noms. Attente de plusieurs heures. Interminable.

La colonne de prisonniers s'ébranle, direction Birkenau.

18 janvier… En hébreu, le chiffre 18 symbolise la vie. En disant cela à Simone, Paul tente d'apaiser les craintes de son amie, qu'il devine terrorisée à la perspective de replonger dans les horreurs d'Auschwitz.

Une foule gigantesque de quarante mille femmes, hommes, enfants, vieillards, à la peau diaphane, vêtus de lambeaux, tremblant de froid, maigres jusqu'à l'impossible, se met en marche. À l'injonction des gardiens du camp, l'immense cohorte se dirige vers les chemins enneigés que l'on aperçoit au-delà des barbelés ceinturant le pays des morts.

Pour la première fois depuis leur arrivée, Simone, Yvonne et Milou franchissent la porte du camp.

Si ces milliers de personnes sont encore en vie, c'est simplement parce que les nazis manquent de temps pour les éliminer. L'Armée rouge approche. Son arrivée n'est plus qu'une question d'heures. Pour les nazis, l'urgence consiste à détruire les preuves de leurs crimes. Les chambres à gaz et les fours crématoires sont dynamités, les déportés évacués.

La température est de vingt degrés en dessous de zéro. Des dizaines de milliers de personnes à bout de force, presque nues, avancent dans la neige. Elles ignorent quel sort on leur réserve. Mais elles ont du mal à envisager cette nouvelle épreuve autrement que comme une étape supplémentaire du calvaire qu'est devenue leur existence. Comment puiser le courage de lutter quand on est assailli par de telles pensées ?... La fuite à travers les forêts de l'hiver polonais dure deux jours et deux nuits.

Milou et Simone portent leur mère à bout de bras. Yvonne n'arrive plus à avancer. Les trois femmes ont les orteils gelés. Si elles sentent encore leurs bras, leurs jambes, leurs mains, c'est par intermittence. De plus en plus rarement. Simone ne veut pas renoncer. Elle sait que tous ceux qui déclarent forfait sont abandonnés en route ou abattus d'une balle dans la tête.

Chacun de ces hommes, de ces femmes, de ces enfants, de ces vieillards, fait très concrètement l'expérience de ce qu'on appelle la limite. Limite constamment atteinte et cependant dépassée. Jusqu'à ce qu'il ne soit plus possible de franchir la limite suivante. Et que l'on renonce. Alors on s'effondre sur le bord de la route. On s'éteint, comme ça, sous le regard des autres, ces fantômes qui s'obstinent. Qui, pour d'injustes et mystérieuses raisons, parviennent encore à puiser au fond d'eux-mêmes les ressources leur permettant de continuer.

Ce que l'on appellera plus tard la Marche de la mort, course contre la mort de soixante-dix kilomètres engagée par les responsables d'Auschwitz afin de dissimuler au monde l'étendue de leurs crimes, se prolonge, vers l'ouest, dans l'hiver glacial de l'Europe orientale.

Interminable exode. La tension est à son comble. Chez les nazis, auxquels la situation échappe désormais à peu près totalement. Mais aussi chez certains prisonniers, qui, privés de présence féminine depuis des mois, perdent parfois toute retenue à l'égard de leurs semblables, femmes, jeunes filles, adolescentes…

Au terme de trois jours de marche, les rescapés d'Auschwitz sont regroupés à Gleiwitz et embarqués à bord de trains. Le convoi file vers l'ouest, fuyant l'avancée des troupes soviétiques. Étape à Mauthausen. Déjà bondé, le train ne peut accueillir la totalité des prisonniers s'agglutinant le long des quais.

Les jours, les nuits s'enchaînent. Sans manger ni boire, en dehors des maigres poignées de neige qu'ils parviennent à glaner en tendant le bras vers l'extérieur.

Étape au camp de Dora. Une partie des passagers masculins est débarquée.

Le train repart. Il roule pendant huit jours. Jusqu'au 30 janvier. Le périple s'achève à Bergen-Belsen, à mi-distance de Hambourg et de Hanovre, l'un des endroits les plus sinistres créés par l'organisation criminelle qui règne sur l'Allemagne depuis 1933.

Conçu pour accueillir deux mille personnes, le camp de Bergen-Belsen en contient soixante mille à la fin du mois de janvier 1945, Juifs, Tsiganes, résistants français, prisonniers politiques de toutes origines…

Le typhus fait des ravages. Des centaines de cadavres jonchent le camp, que plus personne ne se soucie d'inhumer.

L'état de santé de sa mère préoccupe Simone. Son visage s'est métamorphosé. Les premiers symptômes du mal se lisent sur ses traits.

En une seconde, elle l'a reconnue. Simone retrouve Stenia, l'ancienne kapo d'Auschwitz qui lui a sauvé la vie. Stenia, devenue chef du camp de Bergen-Belsen, décide de placer Simone à la cuisine des SS. Parmi les tâches auxquelles sont affectés les détenus, peu sont aussi convoitées que celles-ci. C'est une sorte d'assurance-vie. La certitude de ne pas crever de faim.

Simone est à bout de forces, les mains en sang. Ses journées consistent à râper des pommes de terre jusqu'à épuisement et à subtiliser sans se faire repérer un morceau de sucre ou des bouts d'épluchures.

L'état de santé d'Yvonne se dégrade. La dysenterie l'épuise, sa fièvre augmente. Et son moral s'effondre. Tout ce qui raccroche encore Simone à la vie au cours de ces journées atroces, c'est l'espoir d'un dénouement prochain. Des rumeurs, des bruits de plus en plus précis indiquent que l'heure de la reddition allemande se rapproche. En outre, Simone a retrouvé Marceline, qu'elle croyait avoir perdue à jamais le jour où elle a quitté Auschwitz pour Bobrek.

15 mars 1945

On ne lui a même pas laissé la possibilité de la serrer entre ses bras, de contempler son visage une dernière fois. Le visage d'une mère. De regarder sa mère, de graver dans sa mémoire l'ultime expression de ses lèvres, de ses yeux. Elle est morte étendue sur la paillasse qui lui servait de lit, faute de place dans les baraquements. Quand Simone apprend la nouvelle, le cadavre de sa mère a déjà été emporté. Procédure ordinaire.

Simone est ravagée de douleur ; elle ne voit plus aucune raison de se battre, de résister, de vivre.

Il y a quelques jours à peine, ici même, Anne Franck est morte.

Simone, malgré tout, n'abdique pas : elle lutte, tandis que Milou, à son tour touchée par la maladie, menace de subir le sort de sa mère. Il n'est pas question que Simone perde maintenant sa sœur. Raison largement suffisante pour ne pas flancher. Car Simone a compris à leur attitude que les nazis sont sur le point de perdre la partie.

Le 15 avril 1945, les troupes britanniques investissent Bergen-Belsen.

Simone aperçoit les voitures arriver depuis la cuisine. Les Anglais dressent des barbelés pour mettre le camp en quarantaine et brûlent les baraquements. Les déportés atteints du typhus sont installés dans un hôpital improvisé. Milou est de l'autre côté. Simone est profondément triste d'être séparée d'elle. Et pour la première fois aujourd'hui.

Mais elles sont sauvées, c'est tout ce qui compte.

Sur place, les soldats découvrent l'inimaginable, des femmes et des hommes pareils à des fantômes. La plupart souffrent du typhus ou de la dysenterie. Cette vision insupportable conduit le général anglais responsable de l'opération à quitter le camp, trop choqué par l'horreur.

Le 21 mai, la dernière baraque est brûlée au lance-flammes. Les soldats britanniques ensevelissent les cadavres en décomposition. Le retour des survivants s'organise. Un train les ramène en France.

Sur les quatre-vingts SS qui dirigeaient Bergen-Belsen – cinquante hommes et trente gardiennes –, un grand nombre se sont enfuis, les autres – dont Josef Kramer, le commandant du camp – ont été arrêtés.

Stenia, elle aussi, est emmenée. Elle sera pendue.

Simone doit peut-être, au moins en partie, à cette femme d'avoir survécu à l'enfer concentrationnaire nazi.

La vie devant soi

Paris, 23 mai 1945

Elle a l'impression de marcher sur du velours. La moquette de l'hôtel Lutetia s'enfonce sous ses pieds. C'est doux et cotonneux. Depuis quand n'a-t-elle plus éprouvé pareille sensation ? Des siècles. Jamais en tout cas avec une telle intensité. Il règne à l'intérieur de l'hôtel une chaleur agréable, rassurante ; sur les tables des salons abonde la nourriture… Simone a retrouvé le monde des vivants.

Et, en même temps, la mort, le deuil, l'angoisse rôdent autour d'elle. Ces mêmes questions qui reviennent inlassablement dans la bouche de la foule de gens, l'air un peu perdu, qui, comme elle, arpente les pièces du célèbre palace du boulevard Raspail : « Avez-vous croisé ma fille ? Avez-vous aperçu mon père ? » La tête lui tourne. Elle n'en peut plus de voir ces mains qui se tendent vers elle avec la photo d'un fils, d'un frère, d'un mari, d'une épouse, d'une sœur… Au début, elle se concentre sur ces visages venus d'un passé où Auschwitz-Birkenau, Mauthausen, le ghetto de Varsovie, Bergen-Belsen et tous les autres lieux de l'horreur nazie n'existaient pas. Ces visages ne lui disent rien. Au bout d'un moment, elle renonce, elle cesse de répondre aux sollicitations continuelles, d'ausculter sa mémoire en quête de souvenirs dont elle cherche éperdument à se défaire.

En outre, elle aussi a une famille à retrouver.

Le Lutetia, qui a été pendant quatre années, à partir de juin 1940, le quartier général des services de renseignement nazis, sert depuis la Libération de centre de regroupement des rescapés des camps. Là où, il y a encore quelques mois, s'organisait la répression à l'encontre de tous ceux qui, en France, luttaient contre l'occupant, se pressent désormais par milliers des hommes et des femmes qui cherchent à savoir ce qu'il est advenu de leurs proches.

Sur les murs du hall, d'innombrables photographies accompagnées de listes de noms tout aussi innombrables. Et puis il y a ces centaines de déportés en pyjama rayé, décharnés, méconnaissables, comme gênés d'être là, si misérables, devenus si étrangers au monde ordinaire des hommes.

Simone est avec Milou. Elles aussi viennent de réchapper de l'enfer. Elles aussi attendent qu'un proche, un parent leur tende une main secourable. Puis elle reconnaît sa tante, chez qui les deux sœurs passeront quelques semaines, le temps de savoir où sont les autres membres de la famille… s'ils sont encore quelque part. Car si Yvonne ne reviendra pas, qu'en est-il de leur père ? De leur frère Jean ? De Denise ?

Les nouvelles ne tardent pas. Denise est vivante ! Elle a été déportée comme résistante à Ravensbrück et Mauthausen, mais elle est rentrée. On ne sait rien en revanche de ce que sont devenus le père et son fils. Simone comprend à cet instant que les trois sœurs Jacob sont orphelines. Si son père était vivant, s'il était bloqué quelque part, il aurait forcément fait passer un message à quelqu'un. Même chose pour Jean, dont Simone connaît la débrouillardise.

Elle doit à son tour annoncer à sa tante qu'Yvonne s'est éteinte à quelques jours de la libération du camp de Bergen-Belsen. La nouvelle la bouleverse, d'autant qu'elle vient de perdre son fils unique de dix-neuf ans, mort au front. C'est peut-être pour cette raison qu'elle est si heureuse d'avoir deux jeunes filles à la maison.

Le lit est confortable, mais rien n'y fait. Simone n'arrive à dormir que par terre. Elle a du mal à manger avec des couverts, ne veut voir personne. Quand sa tante reçoit des invités, elle se cache pour éviter toute discussion. Chaque nuit, elle est pourchassée par des rêves où se rejouent interminablement les scènes de son arrestation, de la déportation à Auschwitz et des mois de souffrance au cœur du cauchemar nazi.

Et puis il y a l'angoisse que sa sœur ne guérisse pas du typhus. Elles ont traversé tant d'épreuves ensemble, ce n'est pas pour qu'elle la laisse tomber maintenant qu'elles sont rentrées. Simone se raisonne, leur oncle est médecin et il est aux petits soins pour Milou. Au fil des semaines, la maladie s'éloigne, les furoncles disparaissent, elle remonte peu à peu la pente.

Il y a la joie et le soulagement d'assister à la guérison de sa sœur, et il y a l'insondable tristesse d'avoir perdu sa mère, la personne la plus importante de sa vie. Pourquoi elle ? Sur les soixante-quinze mille Juifs de France déportés, seuls deux mille cinq cents sont revenus. Simone et Milou ont eu la chance d'en faire partie. Pourquoi faut-il que leur mère ne l'ait pas partagée ?

Aux souffrances physiques, qui resteront longtemps vivaces, s'ajoute cette indicible douleur psychologique. Comment, justement, raconter l'indicible ? Comment décrire l'impensable ? Denise, qui a connu les camps de concentration mais pas ceux d'extermination, ne semble pas vraiment comprendre ce qui distingue leurs épreuves. Qui comprendrait, d'ailleurs ? De conférence en conférence, Denise la résistante relate ce qu'elle a vécu. Elle est accueillie en héroïne. Personne n'a en revanche envie d'entendre les récits des déportés, auxquels on a même parfois du mal à croire. Accepter que des hommes aient pu concevoir l'idée de jeter d'autres hommes dans des chambres à gaz avant de faire disparaître leurs corps en fumée a quelque chose de si démentiel…

Être vivante n'est pas une fin en soi. Simone se demande parfois s'il n'aurait pas mieux valu ne jamais revenir. Elle ressent parfois en elle un vide abyssal…

Comme un petit miracle, elle reçoit son diplôme du bac. Elle apprend ainsi qu'elle a réussi les épreuves passées quelques heures avant son arrestation en mars 1944. Ce bout de papier cartonné va changer le cours de son existence. Il s'apprête à lui redonner du sens, à neutraliser la dépression qui, peut-être, pointait au bout de ce vide. Simone se souvient des conseils que sa mère lui répétait dans leur appartement de Nice. Faire des études pour pouvoir travailler et être indépendante financièrement. Ces paroles qui dans l'insouciance de l'enfance lui paraissaient anodines résonnent désormais tout autrement.

Simone voue une passion à la justice, à l'idée de défendre l'autre, toujours victime de quelque chose.

Presque toujours. Quand d'autres auraient abandonné tout espoir et toute foi dans l'homme autant que dans un quelconque idéal de justice après ce qu'elle a traversé, Simone y puise une force raffermie dans sa volonté de devenir avocate.

Elle s'inscrit à la faculté de droit au début de l'année scolaire 1945. Et comme si ces cours ne suffisaient pas à combler sa soif d'apprendre, elle décide de se diriger vers le nouvel institut d'études politiques, sis rue Saint-Guillaume, dont elle a entendu parler. Le concours étant déjà passé, elle bénéficie d'une dérogation accordée à toutes les victimes de guerre.

Simone découvre les études supérieures en même temps que les rues de Paris et les sorties entre amis dans les cafés de Saint-Germain-des-Prés. L'année précédente a cependant été fatale à l'insouciance de l'adolescente. Les escapades dans les troquets de la rive gauche entre deux cours finissent rapidement par ne plus lui procurer le moindre plaisir.

Elle et les autres étudiants n'auront définitivement pas les mêmes préoccupations, les mêmes pensées, leurs nuits ne seront jamais agitées des mêmes cauchemars, ni leurs journées traversées des mêmes ombres. Et puis elle leur en veut sans doute un peu de ne pas chercher à percer le mystère du regard sombre qui voile ses grands yeux pers, pas plus qu'ils ne songent à lui demander pourquoi elle sourit si rarement. Simone s'en fiche, en réalité. Elle n'est pas gaie comme on doit l'être à dix-huit ans, c'est un fait. Alors elle travaille. D'arrache-pied. S'absorbant dans ses études afin de ne pas penser à autre chose.

Cela lui réussit. Ses notes sont excellentes et ses professeurs l'encouragent, en particulier Michel de Boissieu, dont les conférences à Sciences Po l'éblouissent. Rare fille dans un groupe de garçons, elle imagine déjà ses premières plaidoiries.

Grenoble, février 1946

Et puis il y a ces vacances de l'hiver 1946. Une pause dans ce qui ressemblait à une studieuse existence monacale. Un peu austère pour une jeune fille de dix-huit ans. Simone ne peut pas toujours refuser. Elle accepte donc quand des amis de Sciences Po l'invitent à venir se détendre quelques jours à la montagne, du côté de Grenoble. Elle loge chez les parents de l'un des membres de la petite bande, Antoine Veil, qui fait tout pour se rendre agréable. Les deux étudiants ne s'étaient jamais vraiment parlé, même s'ils se sont certainement déjà croisés rue Saint-Guillaume. Simone ne tarde pas à tomber sous le charme. Il est drôle, intelligent ; surtout, il témoigne d'une attention qui tranche avec ce qu'elle connaissait jusque-là parmi ses rares fréquentations. Ensemble, ils s'entretiennent de politique, de la situation de la France après guerre, de leurs propres projets d'avenir et des innombrables sujets dont peuvent parler deux jeunes gens ayant connu la guerre… Ils apprennent à se connaître.

Évidemment, Antoine n'est pas non plus insensible au charme de Simone, au contraste entre la beauté de son visage et la gravité de son regard. Les fêlures que dissimule cette réserve parfois inquiète le touchent et l'attirent. Il s'emploie à recolorer d'insouciance le regard de Simone. Les photos qui existent du séjour semblent prouver qu'il se débrouille plutôt bien. On la voit rire, prendre la pose sur ses skis, retrouvant presque des airs de gamine de dix-huit ans avide d'amusement.

Si elle se laisse finalement aller avec autant de plaisir, c'est aussi parce que ses hôtes lui montrent une sollicitude qui lui fait du bien. La famille d'Antoine ressemble à la sienne. Les Veil sont juifs, laïques comme l'étaient ses parents, ils sont cultivés, fins d'esprit, aiment la lecture, la musique. Elle a l'impression de connaître ces gens depuis toujours, familiers des mêmes souffrances et marqués par les mêmes deuils que les Jacob.

Huit mois plus tard, le 16 octobre 1946, elle s'avance, tremblante et fière, au bras d'Antoine à la mairie du 17e arrondissement de Paris. Comme ils sont mineurs – dix-neuf et vingt ans ; il faudra attendre 1974 et l'élection de Valéry Giscard d'Estaing pour l'âge de la majorité abaissé à dix-huit ans –, Antoine a fait sa demande officielle à son oncle et à sa tante. Dans les règles de l'art, en costume et gants blancs, pétrifié par la timidité.

La jeune femme ne s'est jamais sentie aussi heureuse dans sa robe blanche, dont la taille cintrée et la traîne lui donnent des allures de princesse. Ses cheveux ont poussé, elle peut désormais rassembler ses pointes ondulées dans une sorte de chignon. Sur la photo officielle, elle se trouve belle. Antoine a un visage sérieux qu'elle lui a rarement vu, cravaté dans son costume sombre. L'élégance de la pochette blanche lui donne des airs d'acteur de cinéma.

Simone ressent une immense soif de vivre. Elle prend une revanche cinglante sur les adversités que lui a infligées sa jeune existence.

Elle a choisi le prénom. Antoine n'a pas eu son mot à dire. Simone a respecté le pacte qu'elle avait conclu avec ses sœurs à leur retour des camps. Elles s'étaient promis que la première de la famille qui aurait un enfant lui donnerait le prénom de leur frère disparu. Son fils est né le 26 novembre 1947. Il se nomme Jean.

Treize mois plus tard, Simone donne naissance à un deuxième enfant, un autre garçon que les parents décident, ensemble cette fois-ci, d'appeler Claude. L'étudiante endosse un nouveau rôle, celui de mère de famille. Sans pour autant renoncer à ses études. Même si elle délaisse un peu ses cours de droit, elle continue les sciences politiques, qui la passionnent. Antoine, lui, a obtenu grâce à Michel de Boissieu un poste d'attaché parlementaire au Conseil de la République – l'actuel Sénat.

Antoine et Simone découvrent la vie de jeunes parents, en même temps qu'ils poursuivent leurs intenses discussions sur l'actualité et la vie politique du pays.

Leurs réflexions se prolongent avec la famille d'Antoine pendant les vacances ou au cours des déjeuners du dimanche lors de leurs passages à Paris. Simone adore ces moments. Une chose, toutefois, la déconcerte dans l'attitude d'Antoine. Il se métamorphose dès qu'elle commence à s'entretenir en aparté avec Mylaine, la sœur aînée de son mari. Immédiatement, il coupe court, s'énerve. Il sait qu'elles évoquent Auschwitz. Antoine ne le supporte pas. Il veut que sa femme efface de sa mémoire les traces de l'horreur, qu'elle aille de l'avant, à l'image de la France en pleine reconstruction.

Chose impossible pour Simone. Il n'est pas question d'oublier, encore moins d'occulter ce qui a été accompli à Auschwitz. Ce serait piétiner la mémoire des millions de morts disparus dans les chambres à gaz.

Pas un mot n'a été prononcé à ce sujet aux procès de

Laval ou même de Pétain. Jamais non plus de Gaulle n'y a fait la moindre référence. Elle trouve cette espèce de refoulement, de pudeur, de déni, d'une sinistre lâcheté. Une lâcheté qui porte en elle le risque de voir se répéter les mêmes malheurs.

Si le reste du monde ne veut rien entendre, au moins Simone peut-elle revenir sur ces semaines passées au fond de la détresse avec sa sœur Milou. L'une et l'autre ont besoin d'en parler, encore et encore. Alors elles se retrouvent rituellement, chaque semaine, à la même table d'un café à la mode du boulevard Saint-Germain, et elles évoquent le passé.

Toutefois, en cette fin d'année 1949, Simone doit annoncer à Milou qu'elles seront désormais privées de leurs rendez-vous secrets à la Rhumerie. Antoine a été nommé à l'étranger, Simone l'accompagne avec leurs deux enfants. Cela signifie pour les deux sœurs une séparation de plusieurs années.

Cinq ans après son retour des camps, Simone s'apprête à repartir en sens inverse. Direction l'Allemagne.

Le spectre de l'Allemagne

Wiesbaden, janvier 1950

Derrière la grande fenêtre de sa nouvelle maison, Simone a une jolie vue sur le jardin de la propriété. Elle se dit qu'il fait trop froid pour sortir, mais elle imagine déjà les moments qu'elle pourra y passer aux beaux jours, quand Milou viendra lui rendre visite. Car Wiesbaden, du peu qu'elle a eu l'occasion d'en voir, semble être une station thermale aux charmes prometteurs.

Ils sont arrivés dans le sud-ouest de l'Allemagne il y a seulement quelques jours, le 1er janvier. Quelques effets personnels et deux enfants dans leurs bagages, ils commencent une nouvelle vie qui devrait durer trois ans.

Simone repense à tout ce qu'elle a entendu avant son départ. « Es-tu sûre de vouloir retourner en Allemagne ? As-tu bien réfléchi ? Comment réagiras-tu en entendant de nouveau parler allemand ou quand tu croiseras d'anciens SS ? »... Ses deux sœurs, son oncle, sa tante, les amis d'enfance qu'elle a retrouvés, quelques connaissances des camps, tout le monde a essayé de la dissuader d'entreprendre un tel voyage.

Simone ne pardonnera jamais aux nazis. Néanmoins, peut-être saura-t-elle pardonner aux Allemands ? Il faudra juste trouver la force opiniâtre de faire la différence.

Antoine a été nommé au consulat de France de Wiesbaden. Dans cette ville sous occupation américaine depuis la défaite de l'Allemagne hitlérienne, le quotidien des Veil ne ressemble pas à celui du reste de l'Allemagne, marqué par l'austérité, la pénurie, les restrictions. Ici règne un air d'Amérique et de vie facile. Rien à voir non plus avec les difficultés que peuvent rencontrer leurs amis en France. Simone a une belle villa, du personnel de maison, elle ne manque de rien.

Du fait des fonctions d'Antoine, ils reçoivent beaucoup et Simone se plaît dans ce nouveau rôle de maîtresse de maison. À vingt-trois ans, elle est la reine de l'organisation de dîners mondains où se retrouvent les personnalités françaises et étrangères en poste dans ce coin d'Allemagne, journalistes ou hommes politiques. Rencontres utiles à la future carrière du jeune fonctionnaire, qui prépare le concours d'entrée à l'ENA.

Simone se met alors complètement au service des ambitions de son mari. Pour le faire réviser, elle lui prépare des fiches, rédige des synthèses de l'actualité politique française et internationale. Elle lui découpe des articles du journal *Le Monde* et lui en fait la lecture, notamment lors des trajets en voiture quand, le week-end, ils s'échappent de Wiesbaden pour se rendre à Francfort, situé à une quarantaine de kilomètres, ou lorsqu'ils partent explorer avec leurs enfants d'autres villes des bords du Rhin.

Simone prend goût à sa vie de femme au foyer. Elle s'occupe des deux garçons, travaille à plein temps à leur éducation, se délecte de leurs premiers mots, garde leurs premiers dessins, leur tricote des chandails et leur lit une histoire au moment du coucher.

Aux premiers bourgeons, Simone se réjouit de voir se rapprocher l'été, sa saison préférée. Parce que c'est celle de son anniversaire, elle est née en juillet, mais aussi et surtout parce que Milou sera bientôt là. Elles s'écrivent toutes les semaines depuis son départ. L'ouverture des lettres de sa sœur prend pour Simone l'aspect d'un petit rituel. Elle met de longues minutes à décacheter l'enveloppe. Elle paraît la sentir, tenter d'en deviner le contenu et l'humeur ayant présidé à sa rédaction en observant le tracé des lettres sur le papier. À la façon dont Milou a inscrit son adresse, elle décèle son état d'esprit. Simone attend qu'Antoine soit sorti pour déplier les longs feuillets et se lancer dans une lecture qui l'absorbe comme un roman. Un fil invisible relie les deux sœurs, confidentes indéfectibles des joies et des tourments qui rythment leurs vies respectives. Milou poursuit des études en psychologie. Elle est heureuse : elle a rencontré son futur mari.

Stuttgart, août 1952

Elle ne pleure plus depuis des années, mais ne peut s'empêcher de verser quelques larmes à l'arrivée de sa sœur. Des larmes de joie. D'autant que le couple est venu avec leur enfant, le petit Luc, âgé d'un an.

Simone a quitté Wiesbaden pour Stuttgart, et Antoine est passé du consulat de la première à celui de la seconde. Ils ont une nouvelle maison, une nouvelle vie, de nouveaux amis.

Exquises vacances en famille. Antoine mitraille.

Pendant quinze jours, il accumule des photos qui ruissellent de bonheur. Les deux sœurs faisant office de principaux modèles à son inspiration. Lors de leurs balades au bord du Rhin, les cheveux au vent soulignant la ressemblance de leurs profils, ou dans les parcs de la ville, tenant les enfants par la main, lors des pique-niques qu'elles organisent à la place du déjeuner du dimanche. Il y a aussi les dîners dans la grande salle à manger, ces discussions interminables auxquelles assiste la plus jeune sœur d'Antoine, Lise, venue leur rendre visite, et qui aime se confier à Simone.

La fin des vacances approche. Antoine tente de faire une ultime série de photos de Milou. Elle ne veut pas poser, Antoine doit ruser pour capter son regard, une cigarette à la main, son fils Luc assis sur ses genoux.

Images vibrantes de mélancolie. Le mari de Milou achève de fixer les valises sur le toit de la voiture, une rutilante 4 CV. C'est l'heure des embrassades. Et de quelques larmes retenues. Les deux sœurs ne se reverront plus avant une dizaine de mois. Simone est triste, Milou aussi. Elles n'en montrent rien, ou presque, et s'enlacent dans un grand sourire silencieux.

Antoine prend un dernier cliché. La voiture disparaît au bout du chemin de la villa, avant de s'engager sur la route.

Pour la deuxième fois de sa vie, le monde vient de s'effondrer.

Simone a été prévenue plusieurs heures après le départ de sa sœur. Alors qu'ils n'étaient qu'à quelques kilomètres de Paris, la 4 CV a fait une embardée, le mari de Milou a perdu le contrôle de la voiture, qui est allée s'encastrer dans un arbre. Le bébé a été transporté d'urgence à l'hôpital. Simone n'a pas hésité une seconde, elle a pris la route pour rejoindre sa sœur. Le petit Luc est décédé dans ses bras juste après son arrivée. Et Milou ? On a tardé à le lui dire, mais elle a compris. Sa sœur a été tuée sur le coup.

Au moment de l'accident, Milou rédigeait une lettre. Plusieurs pages ont été retrouvées sur ses genoux. Cela ne faisait que quelques heures qu'elles étaient séparées et déjà elle écrivait à Simone.

Une raison d'exister

Paris, mars 1954

Quand elle le regarde dans son berceau, Simone ne peut s'empêcher de se dire et de se redire encore que sa vie, peut-être plus qu'une autre, est une cruelle alternance de joie et de désolation. Quelques mois après avoir côtoyé la mort une nouvelle fois, elle est tombée enceinte.

Ces neuf derniers mois, la présence d'Antoine et de ses deux petits garçons lui a apporté la force de ne pas sombrer. Pierre-François, le petit dernier, lui sourit.

La disparition de Milou l'a si profondément abattue, lui laisse un tel sentiment d'injustice, qu'elle refuse désormais de revoir le survivant, le mari de sa sœur, celui qui était au volant. Sa présence lui est insupportable. Le seul fait qu'il ait survécu à l'accident le rend coupable d'être vivant. La douleur est trop violente pour qu'elle parvienne à lui opposer la raison.

Près de dix ans après son retour des camps, après avoir perdu à peu près tous ses proches, elle s'est reconstitué une famille. Cette année 1954 annonce un nouveau départ. Ils sont rentrés d'Allemagne il y a quelques mois. Antoine a obtenu le concours de l'ENA, elle a rempli sa mission d'épouse et de mère modèle, elle veut à présent donner une réalité aux exhortations que lui faisait sa mère lorsque, enfant, elle la poussait à gagner son indépendance de femme. Or, Simone n'a pas étudié pendant des années pour finir femme au foyer. Comme a dû s'y résoudre Yvonne parce que son mari refusait qu'elle travaille. Simone s'en souvient comme si c'était hier. Souvent, elle s'est opposée à son père, qui la punissait : un caractère rebelle qu'elle n'a jamais renié.

Le problème, c'est qu'Antoine risque de ne pas se montrer beaucoup plus souple que son père à l'égard de sa mère. Il ne le sera pas. Son désir d'exercer le métier d'avocate qui lui a coûté tant d'efforts est accueilli par un non cinglant. Elle ne s'y attendait pas. Pas de manière aussi lapidaire. Antoine a extrêmement peu d'estime pour la fonction. Et puis pourquoi travailler ? Les rares femmes qui ont un emploi y sont contraintes par des raisons financières. Ce n'est pas leur cas, ils n'ont pas besoin d'argent, ils s'en sortent très bien, Antoine a une bonne situation, il est inspecteur des Finances et l'homme ambitieux qu'il est n'a aucune intention de s'arrêter en si bon chemin. Simone rétorque avec insistance qu'elle n'a nulle envie de rendre des comptes à son époux des dépenses quotidiennes du ménage, comme le faisait sa mère. De toute façon, ce qui l'anime surtout, et qu'il ne semble pas vouloir comprendre, c'est d'être utile à la société française et de défendre ceux qui en ont besoin. Elle a fait des études dans ce but, il n'avait qu'à le dire avant s'il voulait qu'elle soit mère au foyer. Simone parle de plus en plus fort. Antoine connaît bien ces colères qui peuvent l'emporter, parfois pour des broutilles, un fromage mal coupé au déjeuner, quelqu'un qui ne sait pas jouer au bridge aussi bien qu'elle. Lise, la sœur d'Antoine, en a souvent fait les frais lors de ses séjours en Allemagne. Heureusement, Simone s'énerve aussi pour des choses plus graves.

Antoine n'est pas prêt du tout à affronter le risque de perdre son irascible et persévérante épouse. Il cède. Une chose, toutefois, sur laquelle il refuse de transiger, c'est cette carrière d'avocate, dont il ne veut pas entendre parler. Le couple trouve un compromis. Simone décide de mettre un peu d'eau dans son vin. Pourquoi pas magistrate ? Le métier est ouvert aux femmes depuis peu. Antoine acquiesce avec un large sourire et un geste de tendresse. Marché conclu.

1957

Un matin de 1957, Simone passe l'imposante porte du ministère de la Justice. Elle rejoint son bureau pour la première fois. Instant solennel. La magistrate est un peu émue. Et impressionnée par l'avalanche de dorures, les tableaux de maîtres, les lourds fauteuils des salons en enfilade. Le même rituel se répétera chaque matin : longer des couloirs interminables, croiser des fonctionnaires qui parlent à voix basse de dossiers sérieux, jeter un œil à la majestueuse place Vendôme depuis les hautes fenêtres qui laissent filtrer un froid glacial l'hiver, avant de s'installer à son bureau, dans une annexe du ministère. Jamais aucun document n'y traîne, car les dossiers sont sensibles. Simone prend son travail au sérieux.

Après avoir été stagiaire pendant deux ans au parquet général, son souhait de devenir magistrate a été exaucé. Reçue parmi les premières au concours, elle est affectée, pour commencer, à la direction de l'Administration pénitentiaire.

Au début, convaincre ses supérieurs de lui confier

des responsabilités ne s'avère pas d'une folle évidence. D'autant que Simone rechigne en général à se soumettre à une quelconque autorité. Vieille réticence née de sa confrontation avec les kapos d'Auschwitz, peut-être... À quoi se conjugue l'accueil que lui a réservé son supérieur, qui aurait de loin préféré qu'un homme soit nommé à son poste. Elle le convaincra de ses qualités. Simone aime les défis.

Rapidement, elle est envoyée sur le « terrain ». Son travail prend une tournure concrète. Sa mission consiste à opérer des tournées d'inspection dans les prisons françaises. Non pas pour agir sur un quelconque allégement de peine, mais pour répertorier l'état des établissements pénitentiaires. Elle doit observer, se rendre compte de ses propres yeux, vérifier que les droits élémentaires des prisonniers sont respectés. Simone va vite se rendre compte que, dans la majorité des cas, ils sont au contraire bafoués. La nourriture, les conditions sanitaires, l'hygiène, la surpopulation, elle note tout sur sa petite machine à écrire, rédigeant elle-même les rapports qu'elle transmet à la direction du ministère.

Au fil des mois, ce qu'elle constate des conditions de détention et des humiliations vécues par les prisonniers la révolte. Alors elle travaille avec acharnement, rapportant à sa hiérarchie le scandale que constitue à ses yeux, dans le pays des droits de l'homme, l'état du système pénitentiaire. Elle y passe toutes ses semaines, parfois même le samedi, parcourant la France sans relâche.

Désormais, sa réputation la précède. Elle inspire une telle terreur aux directeurs d'établissement qu'ils se font systématiquement porter pâles le jour de sa visite. Lorsqu'elle débarque en province, elle doit se débrouiller à peu près seule. À la gare, elle sait déjà qu'on aura encore « oublié » de venir la chercher.

Les notables n'ont pas l'habitude d'être sermonnés par une femme. Simone a de l'autorité et en use. Une fois les grilles des couloirs sombres franchies, elle demande à se faire ouvrir plusieurs cellules, et pas uniquement celles choisies par le directeur, qu'il aura au préalable fait nettoyer. Simone se fiche du protocole, elle veut tout voir. Et surtout comprendre pourquoi tant d'hommes et de femmes vivent encore dans de telles conditions au début des années 1960 en France. L'indignité qu'elle côtoie la bouleverse de jour en jour.

La situation des femmes la met tout spécialement hors d'elle. Des cellules minuscules excluant jusqu'à la plus petite once d'intimité, humiliations courantes, absence d'accès à l'éducation, à la formation professionnelle, au monde du travail, bref à ces choses qui pourraient permettre aux détenues d'esquisser un vague projet d'avenir et d'imaginer leur vie après la prison. Au cours de ses visites, Simone s'intéresse particulièrement au sort des Algériennes transférées dans les prisons françaises alors que sévit la guerre de l'autre côté de la Méditerranée. Elle s'est rendue en Algérie pour une mission d'inspection, suite aux premières dénonciations de cas de torture. Elle est déterminée à ce que ces femmes soient traitées conformément au droit français.

Il n'est pas trop difficile de déterminer l'origine de l'émotion qui l'étreint au spectacle du sort réservé à ces prisonnières. Il suffit de quelques images, le bruit des grilles, celui des verrous qui claquent, les barbelés, la promiscuité des corps, les gamelles de soupe, les humiliations quotidiennes… Les cauchemars remontent à la surface. Elle qui pensait ne jamais revoir cela. Les souvenirs enfouis reviennent toujours quand on ne s'y attend pas. Mais c'est peut-être aussi ce qu'elle cherchait en se plongeant avec passion dans ces missions.

Non seulement ses rapports sont lus, mais en plus on les salue. Au cours des sept années qu'elle passe à sillonner la France de l'enfermement, ses prises de position très critiques amorcent de réelles avancées. Elle obtient notamment que les détenus aient accès à des bibliothèques, se forment à un métier, apprennent à lire et à écrire. Elle œuvre aussi à la création de structures scolaires pour les mineurs. Grâce à son action et à la nomination d'un médecin-conseil avec qui elle travaille de concert, les conditions sanitaires s'améliorent nettement.

Simone s'est liée d'amitié avec le docteur Georges Fully, qui collabore avec elle à la petite révolution engagée au sein du monde pénitentiaire. Les qualités de cet ancien résistant, qui fut déporté à Dachau, la touchent. Tous deux se comprennent sans parler. Au point que le docteur Fully devient le médecin attitré des Veil, leur offrant même un chien qui sera le compagnon des enfants de Simone pendant des années.

Elle est si absorbée par son travail que la prison déborde sur sa vie personnelle. Antoine manque de défaillir le jour où, rentrant chez lui, il découvre dans son salon un groupe de détenus occupés à des travaux de menuiserie et de peinture. Naïvement, sa femme supposait que cela constituerait un bon test de réinsertion, une façon de les faire se sentir utiles. Touchante Simone qui, tout aussi naïvement, s'était dit que ces petits travaux d'intérieur leur coûteraient moins cher qu'en passant par un entrepreneur qualifié. Mais en voyant les prisonniers se promener dans l'appartement, au milieu de leurs trois enfants, Antoine laisse éclater sa colère. Il exige qu'elle renonce à sa mission et accepte les nouvelles fonctions qu'on lui propose régulièrement au cabinet du garde des Sceaux.

C'est mal connaître Simone. Qui continue de plus belle, parcourant la France en large et en travers, même pendant les vacances. Son travail est devenu un sacerdoce.

Chaque été, la famille Veil part en Espagne. Le trajet en voiture est ponctué de pauses sur les parkings de bon nombre de maisons d'arrêt du sud de la France, notamment la prison de Nîmes. Simone trouve toujours un prétexte, un directeur ou un sous-directeur à rencontrer, un point à vérifier. « C'est sur le chemin, vous n'aurez qu'à patienter quelques minutes dans la voiture. » Interminables minutes… Antoine a bougonné, puis il a décidé que Simone partirait dorénavant seule avec les enfants et qu'il les rejoindrait directement sur leur lieu de vacances. Les garçons n'avaient pas le choix. Et sur ces aires de stationnement sans ombre, où la chaleur dépassait les trente degrés, ils devaient patienter. Les minutes se transformaient bien souvent en heures. Quand Simone revenait, leurs cheveux ébouriffés et leurs tricots de travers étaient la preuve qu'ils s'étaient une nouvelle fois disputés en l'attendant, mais elle était bien trop préoccupée par ce qu'elle venait de voir derrière les barbelés pour les réprimander.

Simone est une épouse têtue, parfois soupe au lait, mais elle aime Antoine plus que tout. Quand elle comprend que sa passion a une tendance de plus en plus fâcheuse à mettre son couple en péril, elle décide de changer de poste. Affectée à la direction des Affaires civiles, elle est de retour à plein temps dans les bureaux du ministère après sept années à arpenter la France. C'est moins trépidant, bien sûr, mais il faut voir le bon côté des choses : elle travaille, participe à des réformes essentielles de la société – le droit de la famille, le droit à l'adoption, la création de structures de soin pour les handicapés mentaux –, tout en passant un peu plus de temps auprès de Jean, de Claude et de Pierre-François, ses enfants, devenus des adolescents, puis de jeunes hommes. Antoine est quant à lui le plus heureux des époux. Il a sa femme pour lui seul et peut de nouveau passer de longues soirées près du piano, à discuter.

C'est le joli mois de Mai. C'est l'heure de la colère étudiante. Depuis son appartement du Quartier latin, Simone assiste aux événements aux premières loges. Surtout, elle observe les soubresauts de la jeunesse et du monde ouvrier français. Chaque soir en rentrant du travail, elle montre son laissez-passer de magistrat pour accéder à son immeuble. Rien ne lui plaît plus que de se précipiter sur le balcon et de regarder. Vue imprenable sur les bruyants rêves de chambardement des garçons et des filles de vingt ans. Antoine considère tout ça froidement. Elle est fascinée par cette aspiration à la liberté. Elle se moque de ceux qui, par peur, commencent à stocker de la nourriture.

En outre, Claude se montre plus impliqué que ses frères – au point d'être plusieurs fois interpellé. Son engagement est l'objet de vives discussions avec sa mère.

Les événements de Mai 68 auraient pu déboucher sur des réformes majeures pour la société ; il n'en résulte, selon Simone, que de sinistres règlements de compte politiciens. Elle observe avec consternation la scène politique hexagonale. Lorsque de Gaulle démissionne en avril 1969, Simone se réjouit qu'une page se tourne. Elle ne porte pas le Général dans son cœur, elle trouve qu'il n'a pas fait assez pour la réconciliation des Français après la guerre et a véhiculé l'image mensongère d'une nation pour l'essentiel résistante. À l'élection présidentielle du mois de juin, elle vote pour Georges Pompidou. Elle apprécie l'ancien Premier ministre, qu'elle a eu l'occasion de croiser lors de soirées mondaines.

L'élection du nouveau président de la République va donner un brusque coup d'accélérateur à la carrière de Simone dans les coulisses du pouvoir. Dès la formation du nouveau gouvernement, elle est nommée conseiller technique au cabinet du garde des Sceaux, René Pleven, avec qui elle a déjà travaillé au début de sa carrière de magistrate. Sa parfaite maîtrise des dossiers lui permet d'être désignée un an plus tard, en mars 1970, par le président Pompidou, secrétaire du Conseil supérieur de la magistrature. « C'est la première fois, depuis sa création en 1945, que ce poste a pour titulaire une femme », souligne *Le Monde*. Le quotidien du soir, qui lui consacre un portrait de quelques lignes, parle d'une « petite femme brune et charmante, réservée et discrète ». Une consécration pour Simone, jeune fonctionnaire d'à peine quarante-trois ans.

Paris, février 1973

Simone n'a pas envie d'aller à ce dîner. Elle voue une détestation grandissante à l'encontre de tout ce qui ressemble de près ou de loin à des mondanités. Où Antoine s'obstine malgré tout à la traîner. Alors elle retarde le moment du départ avec une mauvaise foi évidente. Elle ne se trouve jamais assez bien coiffée, assez bien habillée face à ces femmes maquillées aux toilettes extravagantes. Simone va être mal à l'aise, elle le sent.

Elle le fait parce qu'il ne peut y aller seul, parce que c'est important pour sa carrière, parce que c'est lui. En bougonnant.

Il a suffi d'un moment de silence entre deux plats et d'une remarque de la maîtresse de maison pour que l'attention des convives se tourne brusquement vers elle. « Savez-vous que ce soir nous avons à table la future Premier ministre ? » Simone cherche désespérément une contenance, qu'elle ne réussit à trouver nulle part. Elle regarde son assiette en finissant son verre d'eau. Devant l'étonnement de l'assistance, la maîtresse de maison étale un magazine sur la table. Simone est photographiée dans *Marie-Claire*. À la droite du président Pompidou et aux côtés d'une ribambelle d'autres femmes, elle a été désignée par le magazine Premier ministre d'un gouvernement fictif entièrement composé de femmes. Le journal a voulu frapper fort avec ce symbole féministe. Montrer que, après Mai 68, les femmes peuvent diriger la France et faire aussi bien que les hommes. Antoine rit de bon cœur. Il est fier de sa femme. Éperdument fier. De son côté, Simone trouve ça éperdument gonflé. Au minimum, on aurait pu lui demander son avis !

Ce soir-là, Simone ne s'éternise pas au dîner.

La naissance d'une icône

Paris, 2 avril 1974

Elle est rentrée depuis plusieurs jours, pourtant ses pensées fourmillent encore d'impressions et d'images revenues avec elle de Katmandou. Les sommets enneigés du Népal, ses paysages féeriques et démesurés, les sourires qui illuminaient les visages de ses habitants croisés au hasard de flâneries, lui ont permis de s'abstraire, l'espace de quelques jours, de la férocité parisienne... Simone en revient à peine, elle voudrait y être encore. Impossible de se passer de ces voyages qui sont à la fois bol d'air et source de régénérescence. Antoine étant devenu président de la compagnie aérienne UTA, elle bénéficie de conditions avantageuses pour s'échapper dès qu'elle le peut avec une amie, en Afrique ou en Asie.

La férocité... parfois aussi la mort. On vient d'annoncer le décès brutal de Georges Pompidou. Chacun s'y attendait plus ou moins. La maladie qui le rongeait l'enveloppait d'une ombre chaque jour plus épaisse. Elle et Antoine le connaissaient bien. Encore récemment, Simone s'était entretenue avec lui de prisonniers condamnés à mort. Elle pense à son épouse, Claude, qui a créé une fondation pour handicapés et personnes âgées. Simone a accepté d'en être la secrétaire générale. Malgré sa charge de travail, elle a voulu donner de son temps, appréciant le courage de la Première dame.

Des élections anticipées sont organisées. Mais qui pour lui succéder ? Pour qui Simone votera-t-elle ? Elle repense aux convictions politiques de ses parents, à son père plutôt à droite et à sa mère plutôt à gauche. Pas question pour elle de donner sa voix à François Mitterrand. L'homme ne lui inspire pas confiance. À droite, Valéry Giscard d'Estaing, le ministre de l'Économie et des Finances, candidat des Républicains indépendants, représente tout le conservatisme qu'elle déteste, malgré sa volonté de changement et l'enthousiasme de ses quarante-huit ans. Reste l'ancien Premier ministre, Jacques Chaban-Delmas, député-maire de Bordeaux, dont le programme d'une « nouvelle société » a tout pour la séduire. Quelques jours après l'annonce de sa candidature, Simone soutient Antoine lorsqu'il signe une tribune favorable au candidat dans un grand quotidien. Mais, au fil des jours, l'« effet Chaban » retombe comme un soufflé. L'homme ne tient pas la distance et ne parvient pas à se hisser au second tour. Si bien que, le jour J, elle ne sait plus pour qui voter. Elle glisse sans conviction dans l'urne un bulletin en faveur de celui que l'on appelle déjà VGE.

Le 19 mai 1974, Valéry Giscard d'Estaing devient le plus jeune président de la Ve République avec seulement 425 000 voix de plus que son adversaire. La célèbre pique qu'il a adressée à Mitterrand : « Vous n'avez pas le monopole du cœur », dix jours avant le vote, a, semble-t-il, été décisive.

Depuis Mai 1968, les Français attendent le changement par le biais de profondes réformes de société.

VGE leur en a promis un certain nombre pendant sa campagne : abaissement de l'âge de la majorité à dix-huit ans, dépénalisation de l'adultère, légalisation de l'interruption volontaire de grossesse, nomination de plusieurs femmes ministres… Le nouveau président fait flotter sur la France un vent de changement.

27 mai 1974

Comment va-t-elle bien pouvoir s'habiller ? C'est toujours la même angoissante question quand elle est invitée à un dîner… Une façon de moins en moins déguisée de manifester son ennui des mondanités où persiste à l'entraîner Antoine. Qui en a d'ailleurs pris son parti. Il ne prête même plus attention à ses accès de mauvaise humeur. Elle n'a pas fini de relever ses cheveux longs en chignon que, déjà, il l'attend dans le hall.

Le dîner de ce soir est organisé par un couple d'amis, avenue Niel, 17e arrondissement. Lui est le secrétaire général d'une grande entreprise.

Ils sont moins d'une dizaine. C'est presque une soirée intime. Les vacances approchent, l'air se charge d'un léger parfum estival. Simone apprécie ces dîners où on a le loisir d'échanger avec chacun. Pendant l'apéritif, la discussion se concentre sur l'information du jour, la nomination du nouveau Premier ministre, le jeune et ambitieux Jacques Chirac, que tous les convives ont déjà eu l'occasion de croiser. Simone apprécie son énergie et la franchise qu'elle ressent dans sa poignée de main. Elle se dit que sa bonne volonté ne peut être que bénéfique en ces temps de changement. La collaboration avec VGE lui paraît tout de même largement improbable. Enfin, elle attend de voir. Chacun y va de son avis, spéculant sur les réformes promises, ses craintes ou, au contraire, ses espoirs. Autour de la table et jusqu'à la fin de la soirée, la conversation sera inlassablement revenue à ce qui passionne tout le monde ici, l'état de la France et les décisions de ses hommes politiques.

Et pour cause !

Simone n'a pas entendu la sonnerie du téléphone. On vient de servir le plat principal quand la maîtresse de maison vient lui chuchoter ces quelques mots à l'oreille : « Simone, on vous réclame au téléphone. » Elle cherche Antoine du regard, se demandant ce qu'on lui veut en pareil moment, si ce n'est pour lui annoncer une mauvaise nouvelle. Elle a laissé le numéro de ses amis à la maison, ayant précisé de ne la déranger qu'en cas d'urgence.

Fébrile, elle se dirige vers le bureau situé au fond de l'appartement, se saisit du combiné, le pose sur son oreille, reconnaît immédiatement la voix, sans vraiment y croire... Il s'agit pourtant bien de lui, le Premier ministre en personne, Jacques Chirac ! Celui-ci offre à son interlocutrice, dans un sourire qu'elle devine à sa seule intonation, un poste au gouvernement. Ministre de la Santé. Il lui accorde quelques heures pour réfléchir à sa proposition. Pas davantage. Il attend une réponse pour le lendemain.

Simone repose le téléphone, son regard s'attarde sur les rivets en cuivre du bureau. Comment Jacques Chirac a-t-il pu penser à elle ? Certes, elle est reconnue pour son travail au sein du milieu judiciaire, mais elle n'est pas une personnalité politique. Simone n'a jamais été élue, ni maire, ni députée. Elle côtoie les cercles du pouvoir sans pour autant y appartenir. À la limite, Antoine serait plus légitime pour se voir confier de telles responsabilités. En a-t-elle surtout envie ?

Elle apprendra plus tard que c'est Marie-France Garaud, qu'elle a connue au temps où elle était magistrate à l'Administration pénitentiaire, qui a soufflé son nom au Premier ministre. Elle est sa plus proche conseillère. Ses mots sont parole d'évangile.

Simone passe sa main sur les surpiqûres du bureau et lisse d'un geste lent le sous-main en cuir, avant de se lever et de rejoindre les convives comme si de rien n'était. Elle est très forte pour cela, ne rien laisser paraître, rassurer son auditoire de son sourire si particulier, de façon à neutraliser toute curiosité intempestive, à empêcher toute question. Son plat a refroidi, mais elle reprend la conversation avec assurance. Sans la moindre allusion à ce qui vient de se produire.

Ce n'est qu'une fois dans la voiture, pendant le trajet de retour, qu'elle raconte à Antoine l'étrange conversation. Il n'y a qu'à lui qu'elle se confie. Il est le seul capable de la conseiller, même si, la plupart du temps, il ne fait qu'acquiescer. Simone a déjà pris sa décision.

« Tu te rends compte que ta mère est nommée ministre de plein exercice. Une femme à cette fonction, pour la première fois dans l'histoire de la Ve République. Pas secrétaire d'État, mais bien mi-nistre. » Antoine a détaché les syllabes. À l'autre bout du fil, Jean n'en revient pas de voir son père aussi heureux. Plus heureux en apparence que sa mère, qui, comme à son habitude, cache son enthousiasme et ses émotions sous l'impassible calme de sa voix. Claude aussi a eu droit à un coup de téléphone, surpris à son tour que sa mère n'ait rien dit. Quant à Pierre-François, il en veut à ses parents d'avoir appris la nouvelle à la télévision. C'est quand même un comble. Le dernier des enfants Veil est le seul à vivre encore chez ses parents, mais il était parti quelques jours à la campagne réviser ses examens de Sciences Po. Heureusement qu'il a eu l'idée d'allumer le téléviseur pour découvrir la composition du gouvernement. Il pensait, espérait même, que son père aurait un poste. Quand le secrétaire général de la présidence de la République, Claude Pierre-Brossolette, a égrené les noms des quinze ministres du nouveau gouvernement Chirac, il a eu un choc en entendant prononcer celui de sa mère, la seule femme ! Tous les trois bouillonnaient d'orgueil en entendant le président la présenter aux Français et souligner son « poste important de secrétaire générale du Conseil supérieur de la magistrature ».

Avant d'endosser ses habits de ministre, elle veut lui parler, passer un moment d'intimité avec celle qui forme un lien invisible avec sa vie d'avant, Marceline. Liées à jamais par l'expérience de la déportation, leur amitié est née dans l'horreur. Les deux femmes se sont retrouvées un peu par hasard à Paris il y a quelques années. Elles se voient de temps à autre et n'ont pas du tout la même vie, mais elles partagent l'essentiel. Simone a besoin d'évoquer le passé, les souvenirs en commun, celui de sa mère et de Milou, que Marceline avait connues à Auschwitz, avant d'ouvrir une nouvelle page du livre de sa vie.

29 mai 1974

Les photographes sont agglutinés sur le perron du palais de l'Élysée. Elle n'en a jamais eu autant à affronter. Ils se pressent autour d'elle au moment où la DS la dépose dans la cour, au point qu'on doit l'aider à se frayer un chemin. Antoine lui a dit de sourire. Effectivement, elle rayonne quand elle monte les marches avec élégance. Elle fait très « ministre » dans son tailleur à damiers noir et blanc. Son chignon bombé est spécialement étudié. C'est ce que lui assurent ses garçons le soir, à son retour. Des compliments assortis, comme toujours, de quelques moqueries. La marque des Veil. Leur manière de relativiser, de regarder les choses avec une féconde distance.

Lors de ce premier Conseil des ministres, pourtant, Simone n'en mène pas large, seule femme au milieu de ces hommes aguerris à la politique, mélange d'anciens gaullistes et de jeunes giscardiens le vent en poupe après l'élection de leur mentor. Sa place est en bout de table, un peu loin du président et du Premier ministre. Qu'importe, c'est vers elle que se tournent tous les regards. D'autant que l'un des sujets abordés par le président dès les premiers jours de son septennat la concerne. Valéry Giscard d'Estaing revient sur ses promesses de campagne et les réformes qu'il souhaite mettre en œuvre. Il y a urgence pour l'une d'entre elles : la légalisation de l'interruption volontaire de grossesse. Un dossier qui concerne à la fois le ministère de la Justice et celui de la Santé, et qui a été rejeté six mois plus tôt par le Parlement. Le projet de loi présenté par le garde des Sceaux de l'époque prévoyait de n'autoriser l'avortement qu'en cas de grossesse consécutive à un viol, de grossesse mettant en danger la mère ou en cas de risque de malformation pour l'enfant. Le président Pompidou ayant à peine soutenu l'entreprise, elle avait peu de chances d'être votée. Elle ne le fut pas. Le contexte a maintenant changé.

En ce mois de mai 1974, c'est toujours la loi pénale

de 1920 qui s'applique : l'avortement est interdit en France et condamné par la loi. Les médecins qui le pratiquent clandestinement s'exposent à des sanctions et les femmes qui font ce choix peuvent être condamnées à des peines de prison.

Le jeune président est un homme pressé. Il veut légiférer avant la fin de l'année 1974. Mais quel ministre pour s'atteler à une tâche aussi délicate ? Le président pense spontanément au garde des Sceaux, Jean Lecanuet. Rapidement cependant, ils doivent se résoudre à constater qu'ils se heurteront à sa famille politique, proche de la droite chrétienne. Le sujet divise déjà l'opinion, il n'est pas question d'en rajouter en déclenchant des scènes d'hostilité parmi les députés de la majorité. Elles surviendront de toute façon bien assez tôt. Le président pense alors aux deux autres ministres concernés, la ministre de la Santé, Simone Veil, et la secrétaire d'État à la Condition féminine, nommée au début de l'été, Françoise Giroud. Deux femmes de poigne qui se jaugent de façon implacable. Car, entre la magistrate et la journaliste, le courant ne passe pas. Simone n'aime pas beaucoup la façon dont la fondatrice de *L'Express* la considère. À chaque fois qu'elle s'adresse à elle, elle a l'impression d'être une cousine de province face à une grande dame de l'aristocratie parisienne. Malgré son élégance naturelle, Simone le sait, elle n'a pas encore tous les codes, elle n'a pas cette aisance, cette aura qui font que, quand elle entre dans une pièce, sa présence en impose. Simone est une femme de l'ombre. Décidée à se distinguer par sa ténacité.

Le destin tient quelquefois à peu de chose. Simone sera seule sur scène. Les positions féministes de Françoise Giroud, qui auraient pu constituer un atout, l'ont finalement desservie. Le gouvernement souhaite aborder la discussion devant les députés de façon totalement nouvelle : ne pas défendre la légalisation de l'avortement d'un point de vue moral et féministe, car les députés – en majorité des hommes – feront tout pour s'y opposer, mais d'un point de vue de santé publique. Et la santé, c'est Simone. Qui possède un avantage supplémentaire aux yeux de Valéry Giscard d'Estaing : elle n'est pas marquée politiquement. Les Français ne l'identifient ni comme une femme de gauche, ni comme une femme de droite.

Le temps presse. Lorsqu'ils en discutent en tête à tête, le président insiste sur sa détermination à faire voter la loi à l'automne. Simone dispose de cinq mois pour se plonger dans un dossier qui va révolutionner la vie des femmes. Elle veut tout savoir, tout connaître. Ce que vivent les femmes au quotidien, les positions des spécialistes, des intellectuels, les arguments des opposants et des partisans. Après l'amélioration des conditions de vie dans les prisons, la légalisation de l'avortement est sa nouvelle bataille. Elle a cette conviction bizarre, enracinée au plus profond d'elle-même, qu'elle la remportera, comme la précédente.

Juillet 1974

Alors que plane sur la capitale un délicieux parfum de vacances, Simone travaille d'arrache-pied. La DS du ministère l'attend à heure fixe en bas de son immeuble, elle gravit les marches du ministère, rejoint son bureau, puis la journée se déroule en une succession de réunions avec ses collaborateurs, d'entrevues plus ou moins informelles, et de moments de réflexion solitaires. Elle prend le temps d'écouter toutes les voix qui s'élèvent, les anonymes, mais aussi les représentantes des différentes associations comme Laissez-les vivre ou le Planning familial, dont la présidente lui remet les copies de certains comptes rendus opératoires de médecins. Certaines préviennent la ministre que, si les choses n'évoluent pas rapidement, des IVG seront pratiquées dans leurs locaux. La provocation, en forme de menace, rappelle à Simone cette phrase que lui avait glissée entre deux poignées de main son prédécesseur, Michel Poniatowski, le jour de la passation de pouvoirs. Le désormais ministre de l'Intérieur du nouveau gouvernement lui avait dit ces mots glaçants : « Il faut aller vite sinon vous arriverez un matin au ministère et vous découvrirez qu'une équipe du MLAC [Mouvement pour la liberté de l'avortement et de la contraception] squatte votre bureau et s'apprête à y pratiquer un avortement. » Simone venait de parler à la presse d'humanisation des hôpitaux, de protection sociale, des questions liées à la prévention sur le plan de la santé, notamment en ce qui concerne les enfants en difficulté… Oubliant immédiatement ces autres priorités, elle avait compris que le problème de l'IVG allait devenir sa préoccupation centrale.

Elle a suivi de près le combat des femmes pour leur droit à disposer de leur corps. Depuis la loi de Lucien Neuwirth autorisant la contraception, en décembre 1967, jusqu'au Manifeste des 343, paru dans *Le Nouvel Observateur* le 5 avril 1971. Simone garde une copie de ce texte fort sur son bureau. Des femmes engagées, issues du milieu politique ou artistique, ont eu le courage d'avouer avoir eu recours à l'avortement, au risque d'être lourdement condamnées. Simone relit ces lignes :

« Un million de femmes se font avorter chaque année en France. Elles le font dans des conditions dangereuses en raison de la clandestinité à laquelle elles sont condamnées, alors que cette opération, sous contrôle médical, est des plus simples.

« On fait le silence sur ces millions de femmes.

Je déclare que je suis l'une d'elles. Je déclare avoir avorté.

De même que nous réclamons le libre accès aux moyens anticonceptionnels, nous réclamons l'avortement libre. »

Certaines militantes du Mouvement de libération des femmes, groupe emmené par la militante Antoinette Fouque, réclament l'avortement libre « et gratuit ». Son regard s'attarde sur quelques noms parmi les signataires. Simone de Beauvoir, Catherine Deneuve, Bernadette Lafont, Jeanne Moreau, Françoise Sagan, Nadine Trintignant. Puis son index s'arrête sur « Marceline Loridan ». Marceline… Elle admire l'engagement de son amie, sa rage, cette colère qu'elles ont en commun depuis trente ans. Une force qui vient de loin et dont elles parlent souvent. Marceline a choisi de ne pas avoir d'enfant en raison de ce qu'elle a vécu, en même temps que Simone, en 1944, là-bas, dans l'Est. Marceline exige qu'on respecte son choix de femme. Ce choix en particulier.

Combien de drames pour bénéficier de cette liberté ?

Simone a entendu le récit de plusieurs de celles qui ont eu recours à des avortements clandestins. Avec toujours les mêmes histoires, les rendez-vous secrets, les départs en autocar au petit matin vers l'Angleterre ou la Hollande, et pour celles qui n'en ont pas les moyens, le défilé, la nuit, vers les appartements des « faiseuses d'anges », qui les délivrent avec les moyens du bord. Quand les choses deviennent compliquées, certains gynécologues, la nuit, prennent le risque de les accueillir dans les services de leurs hôpitaux. Elle a aussi entendu les histoires dramatiques de celles qui en meurent, se vidant de leur sang dans les arrière-cuisines de militantes qu'elles ont appelées au dernier moment en désespoir de cause.

Mais, elle le sait, le changement de société est en marche. Quelques mois après les « 343 », des médecins ont, à leur tour, dans une tribune publiée par *Le Nouvel Observateur* daté du 3 février 1973, revendiqué pratiquer des avortements clandestins. Ils sont 331 à signer cet autre manifeste qui réclame la légalisation de l'IVG et son remboursement par la Sécurité sociale. Des gynécologues qui pratiquent ces avortements vont même jusqu'à refuser de payer leur cotisation annuelle au conseil de l'Ordre des médecins.

Le changement est en marche, incontestablement. Elle remportera sa bataille, elle le sent avec une intuition de plus en plus nette.

Une loi pour l'Histoire

26 novembre 1974

Une DS noire s'arrête devant l'immeuble en demi-lune qui occupe tout un côté de la place Vauban. Bien en évidence sur le pare-brise, le macaron de la République. Le chauffeur attend. Il attend que celle qui s'est retrouvée propulsée six mois auparavant, presque fortuitement, à la tête du ministère de la Santé, règle les ultimes détails qui vont lui permettre d'affronter l'une des journées les plus complexes de son existence. Dans l'intimité de son appartement, Simone Veil vérifie une énième fois la tenue de son chignon, caresse du plat de la main son chemisier bleu afin de dompter un fantomatique pli rebelle ; elle prend son temps, la nuit a été courte, agitée, elle puise au sein de ces brefs instants une force dont elle ne soupçonne pas encore l'incommensurable nécessité. Parce que, à ce moment-là, ni elle ni personne ne peut imaginer combien les heures qui vont suivre seront terribles. Terribles et historiques.

Cela ressemble à un prélude révolutionnaire…
C'en est un.

Le discours que prononcera tout à l'heure Simone à l'Assemblée nationale devant cinq cents élus du peuple va bouleverser la société française. Pour longtemps. La loi de Simone Veil sur l'interruption volontaire de grossesse va modifier les mentalités jusque dans leur tréfonds. Aujourd'hui encore, quarante ans plus tard, elle reste un féroce objet de polémiques.

Étrange destin que celui de Simone. Il y a encore quelques mois, nul ne connaissait le nom de cette magistrate de quarante-sept ans, mère de trois enfants et mariée à un haut fonctionnaire. En un semestre, entre l'élection de Valéry Giscard d'Estaing à la présidence de la République au mois de mai 1974 et ce blafard matin de novembre, cette femme au visage de sphinx et au chignon trop strict va s'offrir une fracassante entrée dans l'Histoire.

La DS longe les Invalides. Il lui suffit d'un quart d'heure pour pénétrer dans la cour du Palais-Bourbon. Enfilade de couloirs, salle des Quatre-Colonnes, sols en damiers noirs et blancs, banquettes de velours rouge. Simone rejoint l'hémicycle.

Elle pénètre à l'intérieur de l'arène.

Manipule à présent nerveusement le petit paquet de feuilles sur lequel figure son discours.

Dimanche dernier, elle s'est rodée auprès de sa collaboratrice Colette Même et de Jean-Paul Davin, son conseiller parlementaire. Elle leur a lu le discours. Ils étaient pourtant venus chez elle avec toutes leurs fiches et des idées en vrac pour son introduction. Mais elle l'avait déjà écrit. Avec ses mots. Leurs regards chaleureux lui ont aussitôt fait comprendre qu'ils étaient impressionnés.

Le public massivement masculin, en plus d'être

viscéralement machiste, qui s'étend maintenant derrière elle risque d'être plus difficile à séduire.

Edgar Faure, le président de l'Assemblée nationale, lui donne la parole.

« Monsieur le président, Mesdames, Messieurs, si j'interviens aujourd'hui à cette tribune, ministre de la Santé, femme et non parlementaire, pour proposer aux élus de la nation une profonde modification de la législation sur l'avortement, croyez bien que c'est avec un profond sentiment d'humilité devant la difficulté du problème. » Suite à une grève de l'ORTF, les programmes ayant été annulés, les débats de l'Assemblée sont retransmis en direct. Des dizaines de milliers de Français sont devant leur téléviseur, des dizaines de milliers de femmes l'écoutent.

« Je voudrais tout d'abord vous faire partager une conviction de femme – je m'excuse de le faire devant cette Assemblée presque exclusivement composée d'hommes – : aucune femme ne recourt de gaieté de cœur à l'avortement. Il suffit d'écouter les femmes. C'est toujours un drame. C'est toujours un drame, cela restera toujours un drame. »

Simone cherche à faire diversion. De vieilles pesanteurs culturelles et religieuses phagocytent le débat. La ministre s'efforce donc de donner à la question de l'avortement la dimension d'un problème de santé publique.

En face d'elle se dressent des forces aussi hostiles que puissantes. Le conseil de l'Ordre des médecins s'oppose au projet de loi. Le Vatican se tient en embuscade.

Mais il y a la brutale réalité des faits.

Simone Veil a son symbole. Il a pour nom Marie-Claire Chevalier, traduite devant le tribunal de Bobigny à l'automne 1972 pour avoir avorté à la suite d'un viol. Elle était âgée de seize ans. À ses côtés sur le banc des accusés, ses complices : sa mère et trois autres personnes.

Gisèle Halimi est à la manœuvre. L'avocate, à l'avant-garde de tous les combats féministes et militante acharnée du droit à l'avortement, dénonce l'injustice qui permet aux jeunes filles les mieux loties d'avorter dans des conditions décentes en s'envolant vers des pays plus libéraux. Tandis que la majorité d'entre elles en sont réduites à confier le plus intime d'elles-mêmes aux fameuses « faiseuses d'anges », qui pratiquent l'opération dans des conditions pour le moins artisanales.

Simone inscrit l'argument au cœur de son propos. Elle est dans son rôle. Après tout, son boulot consiste à veiller sur la santé de ses concitoyens. Il y a celles qui se font prendre et atterrissent en prison pour plusieurs mois. Il y en a d'autres qui meurent, victimes d'une infection contractée lors d'avortements clandestins menés dans des conditions d'hygiène déplorables.

« Nous ne pouvons plus fermer les yeux sur les trois cent mille avortements qui, chaque année, mutilent les femmes de ce pays, qui bafouent nos lois et qui humilient ou traumatisent celles qui y ont recours. [...]

L'histoire nous montre que les grands débats qui ont divisé un moment les Français apparaissent avec le recul du temps comme une étape nécessaire à la formation d'un nouveau consensus social, qui s'inscrit dans la tradition de tolérance et de mesure de notre pays.

Je ne suis pas de ceux et de celles qui redoutent l'avenir.

Les jeunes générations nous surprennent parfois en ce qu'elles diffèrent de nous ; nous les avons nous-mêmes élevées de façon différente de celle dont nous l'avons été. Mais cette jeunesse est courageuse, capable d'enthousiasme et de sacrifices comme les autres. Sachons lui faire confiance pour conserver à la vie sa valeur suprême. »

Simone vient de prononcer les derniers mots de son intervention. Ainsi s'achèvent les quarante minutes les plus cruciales de sa carrière. Et peut-être de sa vie.

L'Assemblée du peuple a rarement connu moment de ferveur plus intense… Les neuf femmes députées siégeant au Palais-Bourbon sont acquises à la cause. L'opinion publique également, si l'on en croit de récents sondages. Pour le reste…

À ces quarante minutes où résonnera pour toujours la parole de Simone s'apprêtent à succéder de longs, d'âpres débats. Trois jours de discussion d'une violence parfois inouïe.

L'ancien ministre du général de Gaulle Michel Debré, rédacteur de la Constitution de la Ve République, sorte de statue du Commandeur de la vie politique française, dégaine : « La vie humaine exige respect et protection ; or, elle existe dès qu'elle est conçue. » Simone et le vieux briscard du gaullisme se reconnaissent pourtant une famille politique commune. Mais la question se joue des clivages traditionnels droite-gauche. Un autre élu de la majorité, Alexandre Bolo, accuse : « Vous instaurez par là un nouveau droit, celui de l'euthanasie légale. » C'est la droite, surtout, c'est-à-dire son camp, qui se déchaîne. Hector Rolland, député gaulliste de l'Allier : « Voilà qu'il nous est demandé de participer à une Saint-Barthélemy où des enfants en puissance de naître seraient journellement sacrifiés. » Jean Foyer, ancien garde des Sceaux du général de Gaulle, opte pour la métaphore morbide en parlant d'« abattoirs où s'entassent les cadavres de petits hommes ».

Les suspensions de séance s'enchaînent.

Moment surréaliste, ou point culminant du sordide, lorsque René Feït, qui allie à son mandat de député du Jura une activité de gynécologue, se présente à la tribune en brandissant un magnétophone, puis, se mettant à fixer intensément la ministre de la Santé avec un sens de la dramaturgie particulièrement étudié, lance : « Permettez-moi de vous faire entendre un enregistrement d'un cœur de fœtus, de huit semaines et deux jours. » Avant d'actionner l'appareil et de faire résonner l'hémicycle des fameux battements de cœur. On applaudit, on siffle, on rigole, on s'invective…

Pendant ce temps, Simone prend des notes. Elle veut pouvoir répondre point par point à la fin des débats.

27 novembre 1974

Évidemment, à l'extérieur, le débat s'est propagé à toutes les franges de la société. Il fait rage. Des organisations catholiques défilent devant le Palais-Bourbon. Les manifestants appellent à la démission de la ministre, déversent des pluies d'insultes au passage de sa voiture, dénoncent une loi qui n'est rien d'autre à leurs yeux que la planification d'un meurtre de masse…

La pression qui pèse sur les épaules de Simone s'intensifie. Elle s'efforce toutefois de faire bonne figure. Cela reste l'arme la plus efficace pour déstabiliser l'adversaire.

Le débat a changé de nature. Il se concentre désormais sur… sa mise à mort ! Des questions de santé publique, de morale, de choix individuel, qui constituaient jusqu'alors le nœud de la discussion, on est passé à quelque chose de beaucoup plus personnel. Tout s'en trouve faussé. La dimension philosophique du problème, son aspect universel, intimement lié à l'héritage des Lumières, a basculé dans une folle opération de lynchage. À un moment, dans l'hémicycle, dans le temple de la patrie des droits de l'homme, elle croit entendre, qui la vise, le mot « chienne » !

Le député Rémy Montagne, ancien résistant, perd toute mesure : « Personne au monde ne peut s'arroger la vie d'un innocent, cela ne peut être l'État, à moins qu'il ne soit totalitaire comme l'était le IIIe Reich. » La veille, Jacques Médecin a témoigné du même sens de la nuance. Il a parlé de « barbarie organisée couverte par la loi, comme elle le fut hélas, il y a trente ans, par le nazisme en Allemagne ». Mais le sommet de l'ignominie est atteint par Jean-Marie Daillet, député de la Manche affilié à la majorité. Il dit : « On est allé – quelle audace incroyable ! – jusqu'à déclarer tout bonnement qu'un embryon humain était un agresseur. Eh bien ! Ces agresseurs, vous accepterez, Madame, comme cela se passe ailleurs, de les voir jetés au four crématoire ou remplissant des poubelles. »

Des rangs occupés par les socialistes, les radicaux de gauche et les communistes, autrement dit les adversaires politiques de Simone Veil, jaillissent des protestations scandalisées.

La journée s'achève. La ministre est épuisée. Physiquement et moralement. Comme chaque soir, elle téléphone au président de la République et lui raconte sous quel genre de climat s'est déroulée la séance du jour. Rude épreuve pour sa ministre. Il ne s'attendait pas à ce que l'une de ses principales promesses de campagne, et la plus chargée symboliquement – un peu comme le sera la loi sur l'abolition de la peine de mort voulue sept ans plus tard par François Mitterrand –, ne déclenche passion aussi furieuse.

28 novembre 1974

Journée décisive. La loi sera soumise au vote tout à l'heure.

Jacques Chirac est présent. Il est venu soutenir sa ministre, qui ne sait pas très bien elle-même à quelles ressources insoupçonnées elle doit d'être encore debout. Au début, le Premier ministre ne déborde pas de zèle dans sa défense du projet de loi. L'avortement, « une affaire de bonnes femmes » ! Le chef du gouvernement a le sens de la formule. On ne s'est d'ailleurs pas privé de rapporter à Simone sa désinvolture.

Mais là, sous la pression du président de la République et vu la tournure que prennent les événements, il s'est lancé dans la bataille avec toute la fougue dont il est capable.

Le conseiller parlementaire de Simone, Jean-Paul Davin, s'active en coulisse. Le long des couloirs de l'Assemblée, il tente de glaner d'ultimes ralliements.

Le moment du vote approche.

Une dernière intervention. Qui va s'avérer décisive. Qui ressemble un peu à ces miracles dont sont parfois traversés certains instants historiques. Le député catholique Eugène Claudius-Petit, Compagnon de la Libération, n'a jamais fait mystère de ses convictions. Pourtant, contre toute attente, il annonce se préparer à voter en faveur de la loi. « Précisément parce que je n'ai pas laissé au vestiaire mes convictions spirituelles, je ne peux pas me défaire de la solidarité qui me lie à la société dans laquelle je vis. [...] Je suis avec ceux qui souffrent le plus, avec celles qui sont condamnées le plus, avec celles qui sont méprisées le plus. Et je serai près d'elles parce que, dans le regard de la plus désemparée des femmes, dans celui de la plus humiliée, de la plus fautive, se reflète le visage de Celui qui est la vie. [...] Je lutterai contre tout ce qui conduit à l'avortement, mais je voterai la loi. »

Bientôt quatre heures du matin. Vingt-cinq heures de débats produites par soixante-quatorze orateurs. On vote. Deux cent quatre-vingt-quatre députés donnent leur voix au texte, cent quatre-vingt-neuf le rejettent. La loi légalisant l'avortement en France est votée... avec la totalité des voix de l'opposition et un tiers seulement de celles de la majorité.

Sourire de la ministre.

Des représentantes du Planning familial, des médecins, des gynécologues, des femmes ordinaires venues assister aux débats, se précipitent à présent pour la remercier, lui serrer la main, la féliciter.

Simone a remporté une bataille devant l'Histoire. Sa vie, comme celle de millions de Françaises, en sort à jamais transformée. Elle devient en outre, à quarante-sept ans, la personnalité féminine la plus populaire de France.

Pourtant, elle ne parvient pas à se débarrasser du désagréable arrière-goût que lui laisse sa victoire. Au cours de ces sanglants échanges, elle, la rescapée des camps d'extermination nazis, a vu et entendu des choses qu'elle croyait définitivement enfouies dans le passé.

Il y a eu l'abjection du député de la Manche Jean-Marie Daillet parlant de ces embryons jetés « au four crématoire », les croix gammées griffonnées dans le hall de son immeuble et sur la voiture d'Antoine, des allusions, des insultes de la pire espèce…

Elle qui pensait que sa seule blessure, indélébile, ne serait bientôt plus que son matricule. Ce tatouage qu'elle s'efforce de dissimuler sous ses manches longues.

Le numéro 78651.

Face caméra

1975

La voiture stoppe. Les photographes et les preneurs de son se rapprochent dans une indescriptible bousculade. La portière s'ouvre, la cohue grimpe d'un cran supplémentaire. Simone descend de la voiture. Explosion de flashs, les micros se tendent… La scène la ramène un an en arrière, lorsque, ministre depuis quelques heures, elle montait les marches de l'Élysée pour son premier Conseil des ministres. Elle n'a pas l'impression d'avoir changé, mais le regard des autres sur elle, lui, s'est singulièrement modifié. Le regard des autres, et surtout celui de ces femmes qui, chaque jour, traversent la rue pour venir la remercier. La force de caractère, la persévérance dont elle a témoigné tout au long des débats à l'Assemblée nationale, jusqu'à la victoire finale, ont fait d'elle une icône. La loi sur l'IVG a été promulguée au début de l'année. Tout ça a quelque chose d'un peu surréaliste. Elle qui apprécie l'ombre et la discrétion plus que quiconque est devenue la figure emblématique d'une loi qui porte son nom. La « loi Veil ». Elle s'en serait volontiers passée. L'ombre à laquelle elle aspire de retourner appartient à une période de son existence définitivement révolue.

Simone sourit intérieurement en réalisant qu'elle a choisi un manteau orange dans sa garde-robe. Il y a quelques mois encore, elle n'aurait peut-être pas osé…

Elle salue les policiers au garde-à-vous venus l'accueillir. Depuis la promulgation de la loi, elle continue son travail de ministre et parcourt la France, allant à la rencontre des Français, inaugurant de nouvelles structures pour accueillir les malades, notamment des centres pour enfants, que ce soit à Libourne, à Salon-de-Provence, à Dijon, ou comme ce jour-là en région parisienne. À quelques mètres derrière elle, son garde du corps, une femme. Le choix est délibéré, elle sera l'un des symboles de son combat.

Les représentants de la ville sont présents. Devant les caméras, on aperçoit le préfet, qui se tient à ses côtés. Dans quelques minutes, Simone va poser la première pierre d'un futur hôpital. Un muret a été préparé. Elle s'avance, dépose son sac à main à ses pieds, s'empare de la truelle et étale le mortier avec une assurance un peu inattendue.

C'est à ce moment-là qu'il a parlé.

Elle l'a entendu avec une effrayante netteté. Il l'a félicitée pour sa « très bonne technique ». À chaque fois, c'est un poignard en plein cœur. Les gens ne savent pas, ne peuvent pas savoir, mais ils la blessent. Ce préfet a pris pour tous les autres. Elle lui a répondu, du tac au tac, qu'elle avait « fait ça en déportation ». Elle a reposé la truelle, s'est baissée pour ramasser sa pochette, qu'elle a calée d'un geste sec sous son bras, ajoutant : « C'était mon métier. » Puis Simone a tourné la tête et levé le menton, visiblement désireuse d'en finir. Le regard perdu dans le vide, elle s'est contentée de poser sans un mot sur la photo officielle. Ensuite, elle s'est engouffrée dans la voiture. Elle que *France Soir* avait décrite quelques mois plus tôt comme un « roc » vient de fendre l'armure. En livrant aux caméras une clé de son passé, la carapace que Simone avait pris soin de se forger s'est fissurée.

Elle a longtemps résisté, mais il est arrivé un moment où ses refus répétés n'étaient plus tenables. Sa cote de popularité en hausse constante et cette petite phrase sur son passé de déportée avaient attisé la curiosité des journalistes. Elle a fini par donner son accord pour un entretien qu'elle a souhaité long, où elle aura le temps de s'expliquer sur ce mouvement d'humeur involontaire. Et qu'au fond elle sait injuste. Antoine l'a convaincue.

C'est d'ailleurs devenu un jeu entre eux. Pour qu'elle s'exprime sur ses réformes à la radio ou à la télévision et remise un peu sa frilosité envers les médias, ils ont convenu qu'elle s'amuserait à placer une phrase incongrue au cours de son intervention. Histoire de dédramatiser. En échange, il lui promet à chaque fois un petit cadeau. Le plus souvent un flacon de Must, le parfum de Cartier. Tous deux s'amusent de cette pitrerie enfantine, et ses réticences connaissent, du coup, un significatif recul. C'est un maillon supplémentaire à la complicité qui les unit depuis tant d'années. Antoine est son conseiller de l'ombre, et sans aucun doute celui qui possède le plus d'acuité.

Plutôt que de poser des heures devant une caméra, Simone a proposé aux journalistes de la suivre dans son quotidien.

Pour la première fois, elle ouvre les portes de son intimité familiale en les emmenant dans sa maison de Normandie. Aucune caméra n'était encore entrée dans cette longère qu'elle a achetée avec Antoine au milieu des années soixante à Cambremer, dans le Calvados.

C'est son havre de paix, le refuge de ses week-ends, loin d'une agitation politique parfois pénible. Elle y reçoit ses enfants, prend le temps de lire, de s'occuper de ses fleurs. Parfois elle part arpenter les bourgades alentour pour y chiner quelques meubles anciens.

Simone ne boude pas son plaisir face au regard déconcerté des journalistes qui l'observent préparant le thé pour ses invités. La simplicité avec laquelle elle se prête à son rôle de femme au foyer, qui contraste avec son apparence bourgeoise, les perturbe. La scène prête à sourire. Antoine reste assis à bavarder et se fait servir tandis qu'elle fait des allers-retours entre la table de jardin et la cuisine. Il pousse le vice jusqu'à lui demander si elle a bien apporté un nombre de soucoupes équivalent à celui des tasses. Il prend toujours autant de plaisir à la taquiner, la désignant à la cantonade de l'heureux jeu de mots dont il l'affuble depuis des années : la « merveille » (mère Veil). Image toutefois trompeuse. Car, en vérité, c'est elle la chef de famille. Antoine la surnomme aussi « la Patronne » et ne décide rien sans l'en avertir. Même quand on l'invite à un simple dîner. Il y a quelque temps encore, il était « monsieur Veil », Simone n'étant que « l'épouse de ». Désormais, c'est lui qui se retrouve dans cette position, il est « le mari de Simone Veil », « le mari de la ministre ». Il se plaît à dire qu'il va finir par créer un club des princes consorts, association de maris laissés pour compte. On omet régulièrement de le convier aux dîners officiels. Il y a cependant pire à ses yeux : se retrouver en bout de table. Alors, en bon redresseur de torts, elle intervient, répare l'injustice, s'emportant au besoin.

Après des heures passées à dévoiler son intimité sous

l'œil des caméras, Simone en vient au cœur du message qui justifie tout ce qui a précédé.

Elle s'installe près de la cheminée, accroupie dans la pénombre. La caméra éclaire un peu trop son visage, selon elle. Elle réclame moins de lumière. Pas de maquillage, pas de veste de tailleur, un simple corsage noir et blanc. Elle veut montrer cela aux Français, cette partie de sa personnalité que le grand public ignore, qu'elle a pudiquement conservée à l'abri des projecteurs et de la curiosité publique, qu'il lui paraît toutefois juste, maintenant, de dire. Pas seulement parce que c'est elle, très populaire personnalité politique âgée de près de cinquante ans, mais parce que son expérience individuelle doit déboucher sur une prise de conscience et un questionnement collectifs. Elle estime que la société est prête à revenir sur ce passé que la France a si longtemps occulté. Elle l'espère.

La « conscience nationale » a pourtant été ébranlée ces dernières années, notamment en 1971, avec la sortie au cinéma du film de Marcel Ophüls, *Le Chagrin et la Pitié*. Le documentaire revient sur la collaboration d'une région française pendant la guerre, en l'occurrence l'Auvergne. Simone, alors membre du conseil d'administration de l'ORTF, s'était opposée à sa diffusion à la télévision. Mais son propos a été mal compris. Elle ne voulait en aucun cas occulter cette période de l'Histoire, elle n'acceptait simplement pas qu'on n'évoque que ceux qui avaient collaboré. Le film était selon elle partisan. Pourquoi vouloir encore diviser les Français tant d'années après la Libération ? Il fallait revenir sur cette période, expier le passé, mais pas comme ça. À aucun moment n'étaient mentionnés les Français qui avaient refusé la collaboration, à l'instar de la famille Villeroy qui avait caché des Juifs – comme elle – au péril de leur vie. Dès lors, empêcher la diffusion du film revenait dans son esprit à leur rendre une sorte d'hommage à distance. Il devenait nécessaire d'expliquer l'origine de ses positions si tranchées sur la mémoire collective.

Le journaliste pose les questions, la recadre quand c'est nécessaire, mais ne l'interrompt pas. D'une voix posée, elle raconte ce qu'elle a vécu de seize à dix-sept ans. L'insouciance de son enfance, son amour pour sa mère, l'arrivée des Allemands à Nice, sa peur d'être arrêtée. Puis la déportation vers cette destination qui donne des frissons à tous ceux qui l'entendent : Auschwitz-Birkenau. Elle marque des pauses. Reprend sans trembler. Elle décrit l'horreur des camps, la faim, le froid, la peur. Le labeur sans relâche, « douze heures environ de travail, avec une demi-heure à midi pour manger une soupe qui était de l'eau avec des rutabagas ». Légèrement agacée, elle soupire : « Enfin, cela a été raconté tant de fois que ce n'est pas utile d'y revenir. » Elle préfère s'étendre sur « ce dont on n'a peut-être pas tellement parlé » : « les odeurs », « cette espèce d'odeur fétide qui est faite de la pourriture, de la boue qu'il y a dans le camp, et puis, à Birkenau, de la proximité des crématoires ». « On vivait dans l'odeur de brûlé, perpétuellement », répète-t-elle.

Simone n'élude rien. Pas même le fait d'être prête à tout pour de la nourriture. « Dans ce climat où chacun se battait pour sa vie, ceux qui étaient trop bons, qui se laissaient dépouiller complètement par les autres, ne pouvaient pas résister. » La tête penchée et les mains jointes, elle avoue que sa mère et Milou « étaient un peu de cette catégorie, c'est-à-dire que si on leur volait leur morceau de pain ou leur manteau, hypothèses qui sont arrivées de très nombreuses fois, elles étaient incapables de résister, elles se laissaient voler. Il fallait tout de même savoir se défendre, sinon très rapidement la vie vous échappait ». Simone marque un temps d'arrêt et, relevant la tête face à la caméra, fait cette confession : « Et je crois que c'est peut-être là que je leur ai servi, c'est parce que j'étais plus dure. »

La ministre ne sourit pas, elle arbore cette carapace qu'elle porte depuis toujours. Qu'elle s'est en tout cas forgée durant cette sinistre période. Pourtant, elle parle avec sincérité d'un sujet qu'elle a souvent tu, ne cachant rien de l'agressivité qu'elle a dû développer pour survivre ni de son combat pour protéger sa mère. La bouche crispée, elle explique la blessure d'avoir perdu celle qui représentait le repère de sa vie.

Revenir ainsi sur toute son existence lui est évidemment difficile. Une blessure à vif. Elle fixe les braises et le feu qui s'anime, comme elle regarderait la mer, le regard dans le vague. Le journaliste a gardé pour la fin de l'entretien l'évocation de ce qui constitue sans doute sa plus grande douleur. La plus récente et la plus violente, celle dont elle refuse de parler : la mort de Milou.

Quand il commence sa phrase par « En 1952, une autre épreuve terrible vous attend », elle comprend tout de suite. Elle s'y était pourtant préparée quand elle avait accepté cette interview, mais c'est plus fort qu'elle. Vingt-cinq ans après la disparition de Milou, l'intensité de la souffrance est restée la même. Simone fronce les yeux. Elle comprend que la caméra la cadre en gros plan. Elle demande qu'on interrompe l'enregistrement. Contre toute attente, le journaliste lui répond : « Non, ce n'est pas possible. » La caméra continue à tourner. Simone baisse les yeux, se pince les lèvres. Après plusieurs secondes de silence total, pendant lesquelles on n'entend plus que le crépitement du feu, elle tourne la tête. Le téléspectateur ne voit plus que son chignon.

C'est cette image qui est restée. Simone devient la ministre et la femme politique la plus populaire du gouvernement. Ses larmes ont touché et ému les Français.

1978

Le nez dans un dossier, elle ne l'a pas entendu entrer. Sa secrétaire l'avait pourtant prévenue de ce rendez-vous. Elle lui a répondu qu'elle ne souhaitait pas être dérangée. Sous aucun prétexte. Les réunions attendront.

Elle le fait asseoir en face d'elle. Les yeux pétillants de cet homme au visage poupon et la bonté qui en émane la rassurent immédiatement. Ils ont tant de points communs qu'elle se sent en confiance. Ils sont juifs, ont passé tous les deux leur enfance à Nice. Lui a réussi à échapper à la Gestapo en 1943, mais son père a été déporté à Auschwitz. Tous les deux aussi sont passionnés par le droit. Serge Klarsfeld exerce le métier dont elle a rêvé : il est avocat. Surtout, il a entrepris un minutieux travail d'historien depuis plusieurs années pour constituer la mémoire de la Shoah. Avec son épouse Beate, il traque sans relâche les nazis en fuite. Il s'est notamment mis en tête de retrouver Alois Brunner, responsable de la déportation de milliers de Juifs dans la zone d'occupation italienne. Et sans doute également de celle de Simone, qui tient l'officier SS pour responsable de son arrestation et de son départ vers les camps de la mort.

Si Serge Klarsfeld se retrouve face à elle, c'est parce que Simone a une demande particulière à lui faire. Il a publié, quelques jours plus tôt, un livre qu'elle garde précieusement à portée de main et qu'elle a déjà parcouru plusieurs fois. Le *Mémorial de la déportation des Juifs de France* est le premier recueil qui recense les noms et prénoms des soixante-seize mille Français déportés. « Le chasseur de nazis » les a classés par numéros de convoi. Il a même retrouvé l'identité des onze mille enfants emportés par les trains de la mort. Pour la première fois depuis plus de trente ans, Simone a vu écrit noir sur blanc le nom de son père, André Jacob, ainsi que celui de son frère, Jean Jacob. Elle se surprend à murmurer ce patronyme qui est aussi le sien, quand Serge Klarsfeld lui demande ce qu'elle attend de lui.

La conversation devra demeurer confidentielle. Elle veut *tout* savoir. Quitte à ce que l'historien lui répète à voix haute ce qu'il a déjà écrit dans son livre et qu'elle ne sait pas encore. Quel jour sont-ils partis ? Dans quel convoi ? Vers quelle destination ? Dans quel état d'esprit étaient-ils ? Pouvaient-ils se douter de ce qui les attendait ? Que s'est-il passé à leur arrivée ? Dans quelles conditions ont-ils disparu ? À quelle date ? Quelle année ? Avant ou après la fin de la guerre ? Ont-ils souffert ? Y a-t-il un espoir quelconque, espoir insensé !, qu'ils soient encore en vie, enfermés quelque part ?

Serge Klarsfeld toussote, visiblement gêné. Il s'excuse par avance, mais il lui sera largement impossible d'étancher cette soif éperdue de savoir. De sa voix posée, il dit ce qu'il sait.

Jean s'apprêtait à rejoindre, comme il le pensait, le groupe d'adolescents volontaires pour travailler à l'organisation Todt quand André est arrivé à son tour à Drancy juste après son arrestation. Simone, elle, venait de partir dans le convoi 71, ce qui explique qu'elle n'ait pas croisé son père. Elle n'a même jamais su qu'il avait été pris dans une rafle. Tous les deux sont restés quelques jours dans le camp avant de monter, le 15 mai 1944, à bord du convoi numéro 73. Un mois après le départ de

Simone, de sa sœur et de sa mère. Ils étaient exactement huit cent soixante-dix-huit hommes et adolescents dans la force de l'âge à être emmenés par wagons à bestiaux. La destination est la Lituanie. Serge Klarsfeld explique que ce convoi demeure un mystère pour les historiens : sur les soixante-dix-neuf convois au départ de Drancy, entre 1942 et 1944, c'est le seul train que la Gestapo ait dirigé vers les pays baltes. L'homme marque une pause. Entre-temps, Simone s'est levée de son bureau. Elle s'appuie à la fenêtre et fixe sans le voir un point au loin, lui tournant le dos. Elle accuse le choc. Elle était persuadée que son père et son frère avaient fini par rejoindre Auschwitz, elle les imaginait dans le camp des hommes, à quelques mètres d'elle. Elle a passé son temps à demander des nouvelles, à faire passer des messages, en vain. Elle comprend mieux aujourd'hui pourquoi personne n'a jamais pu lui donner le moindre signe de vie.

Serge Klarsfeld reprend son récit. Arrivé à Kaunas en Lituanie, le convoi s'est scindé en deux. Une partie des hommes est descendue sur place, l'autre a continué vers Reval (aujourd'hui Tallinn) en Estonie. Les noms d'André et Jean ont bien été inscrits sur la liste des passagers de ce convoi numéro 73. Serge Klarsfeld en a la preuve.

La suite, en revanche, doit être mise au conditionnel. Les deux hommes ont-ils fait partie du dernier convoi d'environ trois cents déportés, envoyés en Estonie pour réaliser des travaux et qui ont été, pour la plupart, rapidement assassinés ? C'est peu probable. Car aucun de la vingtaine de survivants du convoi 73 rentrés en France en 1945 n'a cité leurs noms. Pas non plus la moindre trace d'eux au camp de concentration de Stutthof, en Pologne, où le groupe des survivants de Talinn a été déporté. Le frère et le père de Simone faisaient-ils partie du groupe descendu au premier arrêt du convoi, à Kaunas, en Lituanie ? Si c'est le cas, le récit de Serge Klarsfeld devient terrifiant. Près de six cents d'entre eux se sont retrouvés dans ce que l'on a appelé le « Fort IX », une prison lugubre et humide au milieu de nulle part. Les uns sont décédés dans un camp de travail forcé, les autres ont été sauvagement exécutés dans la forêt environnante. Tous sont morts, exceptés deux frères qui sont parvenus à s'échapper. Eux seuls ont pu identifier le lieu, car les Allemands n'avaient laissé aucune trace de l'existence de ce convoi. Sur place, un élément a permis d'authentifier la présence à Kaunas de ce convoi 73. Quelques mots inscrits sur le mur du Fort IX, une phrase qui est aujourd'hui insoutenable pour leurs familles : « Nous sommes 900 Français. » Un cri dans le silence de la guerre. Quelques noms, aussi, et des prénoms, gravés à la sueur de leur malheur, mais aucun auquel Simone puisse se raccrocher.

En saluant Serge Klarsfeld à la porte de son bureau, Simone ne peut s'empêcher de penser à ce jour d'avril 1944 où, enfermés à Drancy, elle a encouragé Jean à se porter volontaire pour du travail. Trente ans après, elle se souvient de la douceur de son visage et de ses mèches d'adolescent.

Elle a tout fait pour oublier. Mais cette période est son histoire. Elle ne la chassera jamais, quoi qu'elle fasse.

Printemps 1979

Simone part sur un coup de tête, sans donner de détails sur sa destination. Au fil du temps, Antoine s'y est habitué. Elle s'est contentée de lui dire qu'elle serait de retour pour le déjeuner. Seule au volant de sa Fiat 500, vitres ouvertes, elle se délecte de ce moment de liberté impromptue. Les Invalides, Raspail, Saint-Germain… elle habite Paris depuis plus de trente ans et trouve toujours le même plaisir à s'y promener.

Elle a mis quinze minutes à rallier la rue des Saints-Pères, où Marceline l'attend. L'inséparable amie de Simone s'engouffre dans la voiture. La Fiat roule maintenant en direction de l'est.

L'allure bourgeoise de Simone tranche avec l'extravagance affichée de son amie. Le trajet s'écoule au rythme des anecdotes que Marceline rapporte de son dernier séjour en Asie, où elle a réalisé un documentaire avec son mari Joris Ivens. Comme souvent, leurs conversations finissent en éclats de rire. Elles se remémorent les moments où, en cachette comme des adolescentes, elles buvaient ensemble de la vodka et mangeaient des harengs. Simone et Marceline fument comme des pompiers. Un comble pour celle qui a fait voter, il y a quelques mois, la première loi de lutte contre le tabagisme. Simone lui confie qu'elle n'a jamais cessé de fumer, même pendant le débat sur la loi, alors qu'elle assurait le contraire. Des médecins étaient même venus lui faire remarquer que fumer en public n'était pas le meilleur exemple qu'une ministre de la Santé puisse donner aux Français. Elle leur avait souri, n'avait plus sorti de cigarette devant les caméras, sans arrêter pour autant. Elle cachait simplement ses mégots quand l'un de ses collaborateurs entrait dans son bureau. Chaque soir en partant, elle effaçait derrière elle les traces de son mensonge, vidant son cendrier à l'intérieur d'une enveloppe qu'elle glissait dans son sac à main, pour ne la jeter au fond d'une poubelle qu'une fois rentrée chez elle. Pieux mensonge.

Une fois à Pantin, elle demande la direction du quartier des Quatre-Chemins. Puis elle gare la Fiat en double file devant les étals. Elle vient incognito, sans chauffeur ni voiture officielle. Marceline la suit. Mais à peine se sont-elles faufilées dans les allées du marché que tous les regards se tournent vers elle. Si Marceline l'a toujours su, elle peut concrètement mesurer l'empathie que son amie suscite. Simone est une icône. Des sourires se forment, des mains se tendent. De nombreuses femmes viennent la remercier pour ce qu'elle a fait « pour elles », disent-elles. Simone répond aux sourires et aux élans de gratitude avec sa pudeur ordinaire. Les Français l'acceptent comme elle est, ils savent qu'elle n'est pas aussi chaleureuse que Chirac, prompt à serrer des mains, à embrasser les gens dans de grands éclats de rire. Ça l'arrange. Elle éprouve une gêne instinctive, viscérale, à l'endroit de toute promiscuité. Depuis Auschwitz. Depuis ces corps qui se touchent. La vision des déportés entassés comme du bétail la hante. En dehors du cercle familial, elle ne supporte plus que des personnes l'embrassent. Une simple main sur l'épaule lui est pénible. À l'exception de Jacques Chirac. Au nom de leur amitié, elle passe sur ses irrésistibles accès d'enthousiasme et sa spontanéité si chaleureuse.

Elle est là, derrière son étal de vêtements. Droite, énergique. Ginette. Quand leurs regards se croisent, chacune des trois femmes retrouve en l'autre les traits de l'adolescente qu'elle était. Ginette n'en revient pas de les voir là, toutes les deux. Si on lui avait dit que son amie ministre traverserait tout Paris pour venir la voir, elle la petite vendeuse du marché de Pantin ! Ginette se tourne vers son mari, lui intime de garer la voiture de Simone au garage, puis de garder leur stand. Elles ont tant à se dire.

Par où commencer ? Dans ce petit bistrot où elles ont pris place, plus rien n'existe d'autre que leurs échanges. Ginette dit à Simone combien elle est fière d'elle, de son combat en faveur de l'IVG à l'Assemblée nationale. Elle n'en revient pas de la force dont elle a fait preuve face à la violence des attaques misogynes et antisémites. Simone préfère ne pas s'épancher sur cette période, désormais derrière elle. Les deux femmes se remémorent le jour où, quelques semaines après la Libération, Simone avait réussi à se procurer l'adresse de Ginette. Accompagnée de Milou, elle avait frappé à sa porte. Comme Ginette recevait des amis, les deux sœurs n'avaient pas osé entrer. Ginette a prononcé le nom de Milou, Simone feint de n'avoir pas entendu. Elle préfère évoquer plus vaguement leurs enfants respectifs, ces cocons qui ont contribué à leur survie. Ginette parle de son fils Richard qui s'est fait un nom dans la musique. Son groupe, Téléphone, est devenu le porte-drapeau de toute une génération. Il lui redonne l'espoir d'un avenir meilleur. La vendeuse leur parle de son travail, de l'amitié qu'elle partage avec ses collègues, de cette vie qui reprend le dessus, même si elle n'a jamais oublié. Marceline affirme au contraire qu'elle n'a jamais voulu d'enfants, pour ne pas leur infliger ce qu'elle a vécu. Et par peur de l'avenir. Qui peut savoir, en dépit des solennels « plus jamais ça », qui peut être sûr que tout « ça » n'arrivera plus ? Simone se mord la lèvre et baisse la tête. Elle partage les inquiétudes de ses amies. Le symbole de cette blessure est là, comme pour Ginette et Marceline, tatoué sur son bras.

Aujourd'hui, elles ont à nouveau seize ans. Le lien qui s'est forgé entre elles à Auschwitz est si fort qu'il n'a pas besoin de mots. Comme au camp, leurs différences n'existent plus. Elles sont et seront toujours Simone, Marceline et Ginette. Les deux femmes incarnent aux yeux de Simone ce trait d'union qui la relie à son enfance. Elles sont les seules avec qui elle peut évoquer sa mère et des moments partagés avec Milou.

Simone a quelque chose à leur annoncer. Après cinq années au ministère de la Santé, elle a décidé de tourner la page. Et ce qu'elle vient d'évoquer avec ses camarades ne fait que conforter son choix. Elle n'en aurait pas eu l'idée, mais la proposition du président Giscard d'Estaing lui apparaît comme une évidence. Simone a décidé de se lancer dans la course aux élections européennes. Ginette et Marceline restent bouche bée. Simone estime qu'elle a fait le tour de la mission qui lui avait été confiée. Il est temps pour elle de relever un nouveau défi, d'autant que son allié au gouvernement, Jacques Chirac, n'est plus Premier ministre depuis 1976 – il a décidé de présenter sa candidature à la mairie de Paris. C'est Raymond Barre qui lui a succédé. Giscard voit en elle, en tant qu'ancienne déportée, un symbole fort pour gagner les élections européennes : il rêve d'un axe franco-allemand solide. Simone pourrait symboliser une nouvelle étape de la réconciliation entre les deux nations. S'il cherche à en faire son alibi pour une victoire rêvée, elle n'est pas dupe. Elle y voit aussi son intérêt. Ginette et Marceline regardent avec affection leur amie leur faire une nouvelle démonstration de sa promptitude à s'animer quand il est question de ses convictions et de son engagement. Quoi qu'elle fasse, les deux complices seront toujours là. Ginette lui lance en souriant que, si jamais elle échoue, il restera la possibilité de travailler avec elle sur les marchés !

Les heures ont passé à une vitesse folle. Simone doit rentrer pour le déjeuner familial. Antoine risque de s'inquiéter. Ces rendez-vous sont son jardin secret et Antoine ne pose pas de questions. Il a compris depuis longtemps qu'il ne devait pas s'immiscer dans ces souvenirs qui n'appartiennent qu'à elle.

Les trois femmes s'embrassent chaleureusement, se promettant de se revoir bientôt.

Son combat pour la paix

Marseille, avril 1979

Elle est arrivée en avance. Simone Veil, en campagne pour les élections européennes, veut revoir une dernière fois son texte avant son intervention. Le temps lui a manqué pour préparer son discours. Concilier son agenda de ministre avec les obligations d'une bataille électorale relève de la gageure.

Elle sait ce qu'elle veut dire, le tout est de savoir comment, de trouver les bons mots, la bonne intonation, le rythme. Or, la forme n'est pas son fort, les discours sont son point faible. Elle cherche souvent ses mots. Pire, elle ne sait pas terminer ses phrases. Ses digressions agacent les journalistes de télévision ou de radio, pour lesquels monter ses interviews est chaque fois un casse-tête.

Pour cette première réunion publique, elle a cependant tout rédigé, l'Europe est un sujet qui n'autorise ni approximation, ni formules creuses. Elle n'improvisera pas sur le projet qu'elle souhaite présenter aux Français.

Droite devant son pupitre, le buste serré dans une veste de tailleur carmin, pas de couleur criarde, juste la fantaisie de boutons dorés et de perles nacrées en guise de boucles d'oreilles : « Non, les élections européennes ne sont pas une bataille politicienne où chacun réglerait ses comptes personnels par Europe interposée. Non, les élections européennes ne sont pas une bataille juridique. » Elle cherche à donner une impulsion, une dynamique à son propos, mais se rend compte en le disant que le rythme n'y est pas. Elle s'embrouille, marque un temps de silence et se pince les lèvres avant de se reprendre. Elle a choisi, pour terminer, une formule choc, parlant de « l'Europe mollusque », certaine que cela marquera les esprits. Il en faudra davantage si elle veut avoir une chance de remporter les élections.

D'autres rencontres sont prévues dans quelques jours. Elle tient particulièrement à celle qui se tiendra au mois de juin à Courbevoie, lors de laquelle elle s'adressera à un parterre d'étudiants. C'est pour eux qu'elle mène ce combat, elle devra se montrer à la hauteur. Elle qui n'a jamais recherché les honneurs a choisi de se confronter aux urnes pour une seule raison : ces élections sont une chance de mener le combat pour la paix à un niveau où elle sera en capacité de faire changer les choses. Elle a choisi de s'adresser aux jeunes générations, car elle est convaincue que c'est auprès d'elles que sa lutte aura le plus de retentissement. L'Europe représente à ses yeux l'espoir que ses enfants et petits-enfants, et par là même tous les jeunes Français, ne vivent jamais ce qu'elle a vécu. Elle est convaincue que la construction européenne et la réconciliation avec l'Allemagne sont la seule voie possible pour dépasser les conflits qui ont abouti aux tragédies que la France a connues. Comme sa mère le disait déjà dans les années 1940, « on aurait dû se réconcilier avec les Allemands ». En un mot, Simone veut éviter une nouvelle guerre à tout prix.

Alors elle court, de ville en ville, pour délivrer son message. Le dire est une chose, se faire entendre auprès de Français notoirement préoccupés par leur quotidien en est une autre. Mais cette contrainte, au départ imposée par Giscard, se transforme en plaisir au fil de la progression de la campagne. Elle y prend goût. Même si elle a toujours autant de mal à supporter les slogans réducteurs, les acclamations des salles à son arrivée et son visage en gros plan sur les affiches.

Après les discours, elle doit se confronter aux autres candidats. Les débats s'annoncent mouvementés. Simone est néophyte dans cet exercice, ses contradicteurs le savent, ils ne se priveront pas d'en profiter.

Boulogne-Billancourt, 17 mai 1979

On l'a placée à la droite de François Mitterrand, tout près du public. L'occasion de prendre le pouls de ceux des Français présents. Face à elle, Georges Marchais. Jacques Chirac ne lui fait pas directement face, tant mieux, il n'aura pas l'occasion de la déstabiliser par son regard. Les deux présentateurs sont au centre. Ils joueront les arbitres. Simone s'impatiente, elle voudrait en avoir déjà terminé. Ces trois hommes, têtes de liste aux élections, sont rompus à l'exercice. Pas elle. L'instant ressemble pour Simone à une épreuve du feu.

Elle a posé son sac à ses pieds, sous la table, et n'a gardé à portée de main qu'une pochette de documents au cas où l'un des candidats s'amuserait à essayer de la coincer sur des chiffres. Ne l'ouvrir qu'en dernier recours, histoire de ne surtout pas donner l'impression qu'elle maîtrise mal son sujet. En talons plats et robe longue, Simone se sent bien. Elle a choisi de porter du bleu, couleur de l'Europe par excellence ; celle aussi qui fait ressortir ses yeux clairs.

L'émission commence. Les deux présentateurs donnent la parole à tour de rôle, selon un tirage au sort qui a eu lieu dans les coulisses. Comme Simone est arrivée en tête, c'est elle qui lance les hostilités. Elle profite de la question d'introduction, portant sur les sujets auxquels devront prioritairement se confronter les futurs députés, pour boire quelques gorgées du verre d'eau placé devant elle. Dans sa réponse, elle biaise, préférant insister sur « une chose tout à fait élémentaire, terre à terre, qui paraîtra peut-être bizarre dans ce débat » ! Elle souhaite rappeler le mode de scrutin de cette élection qui se déroulera pour la première fois au suffrage universel : « Beaucoup de Français ne savent pas comment ils vont voter, et je crois qu'il faut leur dire qu'il s'agit d'une liste nationale comprenant 81 noms et que, en choisissant cette liste, ils choisissent les 81 noms, et qu'ils ne doivent ni raturer, ni changer un nom, car, sinon, la liste est nulle. Je m'excuse, c'est un détail tout à fait matériel, mais les rumeurs viennent de partout que les Français actuellement en sont totalement ignorants. » Simone use d'un ton inédit. Elle est déterminée à mener une campagne pédagogique. L'option, avec ses accents vaguement professoraux, constituera-t-elle un atout ? Alors que le premier secrétaire du Parti socialiste prend des notes, Georges Marchais la regarde fixement et Jacques Chirac montre son agacement, se grattant la tête quand il considère que l'intervention de son ancienne ministre traîne en longueur ou que se manifestent de premières hésitations.

Bien qu'elle n'en soit pas adhérente, Simone est tête de liste UDF, le parti du président de la République.

C'est à ce titre qu'elle est rapidement interpellée. Ses contradicteurs s'accordent immédiatement sur un point : ils se disent victimes de la « pression de la propagande officielle ». En accusant le président, le Premier ministre et des « membres du gouvernement » de s'exprimer sans réserve au sein des médias, c'est elle qu'ils visent directement. À mesure que les minutes passent, le débat entre les quatre prend des allures d'alliance de circonstance des trois hommes contre Simone. Qui ne se démonte évidemment pas. Elle leur répond, sans relever la pointe de sarcasme qu'elle devine derrière leurs sourires : « Je n'ai pas l'impression, ces dernières semaines, que l'on m'ait vue davantage, j'ai plutôt l'impression que l'on m'a moins vue à la télévision que M. Chirac ou M. Marchais ou M. Mitterrand. » Le candidat socialiste s'étonne. Elle ne lui laisse pas le temps de répondre et lui assène, cassante : « Oui, très nettement, je crois qu'on peut comptabiliser les temps de parole, très nettement, très nettement. »

C'est ce moment que choisit Jean-Edern Hallier, journaliste contestataire et candidat aux élections, pour se livrer à l'une de ces interventions vaudevillesques dont il a le secret, en surgissant sur le plateau au nom des « petites listes ». Il est expulsé manu militari.

Les trois ténors politiques reprennent de plus belle. Elle est seule. La soirée s'annonce rude…

Le candidat socialiste reprend, sur le même ton railleur, avec peut-être un peu de morgue : « Je ne comprends pas qu'on puisse à ce point tromper les Français pour leur dire : "On va faire en Europe ce qu'on ne fait pas en France." […] Vous ne pouvez pas tromper l'opinion publique française en disant : "Nous refusons la domination des firmes multinationales." Mais, madame, les firmes multinationales, ce sont vos cousines germaines […], c'est l'incarnation de votre politique. Vous ne pouvez pas dire : "Nous refusons la fatalité du chômage." Ça trompe qui ? Vous comptez sur l'Europe pour régler le problème du chômage ? » François Mitterrand enchaîne les attaques sur un ton de plus en plus méprisant. Simone s'agace. D'autant qu'elle n'éprouve pas la moindre sympathie à l'égard du premier secrétaire du PS. Elle tente de repousser les attaques, mais l'assaillant est un animal politique aussi impitoyable que rusé. Il est à l'affût de la moindre erreur. Lorsqu'elle cite par inadvertance le nom d'une personne qui n'est pas présente sur la liste socialiste, il se moque sans retenue, ce qui, par une sorte d'effet domino, déclenche les moqueries des deux autres, décidés à se payer la « novice ». Jacques Chirac et Georges Marchais s'échinent à la piéger en l'amenant sur des sujets plus techniques. Le candidat du Parti communiste a l'habitude des débats et distraire le public est l'une de ses spécialités.

Les pires attaques viennent cependant de celui qui fut son allié au gouvernement avant de devenir un concurrent féroce. L'amitié s'arrête à la porte du plateau. Jacques Chirac est un ami, il l'a soutenue ouvertement pendant le débat sur l'IVG, face aux attaques, à l'Assemblée nationale, des députés de son propre camp, ils se voient régulièrement dans des dîners, ils sont même partis en vacances ensemble, ont fait de nombreux voyages. Elle revoit défiler les photos qui témoignent de ces moments complices où il la taquinait gentiment en la prenant par les épaules. Elle se souvient en particulier de ce cliché au Sénégal, bien loin des contraintes officielles, quelques semaines après le débat sur l'avortement, qui atteste de leur amitié. Depuis des années, il ne l'appelle pas autrement que par ce surnom qu'il lui a donné : « Poussinette ». Chirac est un animal politique redoutable. Dans ce genre de circonstances, seul compte le combat, seul importe de terrasser l'adversaire. Il la titille, la pousse dans ses retranchements, l'interroge, l'air faussement naïf, sur des questions très précises. Simone s'agace de ses sourires narquois et finit par répondre sèchement : « Ne faites pas celui qui ne sait pas. »

Après deux heures de vifs échanges, Simone a prouvé sa pugnacité à ses trois contradicteurs. C'est ce que lui ont dit Antoine et ses fils après sa prestation. Les trois politiciens pensaient ne faire d'elle qu'une bouchée, lourde erreur d'appréciation !

Strasbourg, 17 juillet 1979

Contre toute attente, Simone a remporté les élections européennes. Sa liste est arrivée en tête avec plus de 27 % des voix, loin devant les autres. Jacques Chirac a fini bon dernier. Et apparemment vexé, car elle n'a reçu aucun appel de lui depuis. Ça lui passera.

Aujourd'hui, elle devient officiellement députée du Parlement européen. La solennité du moment l'émeut. Mais c'est surtout de la fierté qu'elle ressent. Elle porte un tailleur qu'elle a une nouvelle fois choisi bleu. Cette couleur qui lui a porté chance lors de la campagne, notamment le jour du grand débat face aux quatre principales têtes de liste. C'était il y a deux mois, jour pour jour, le 17 mai.

Mais Antoine, qui n'a de cesse de vanter son score auprès de leurs amis, paraît encore plus fier. La chose n'est étrange qu'en apparence. Comme de coutume, sa retenue empêche Simone de donner trop de retentissement à ses succès personnels, si considérables soient-ils. La seule chose qui inquiète Antoine, ce sont les absences futures de son épouse, qui devra siéger plusieurs jours par mois à Strasbourg et à Luxembourg où se trouvent regroupés la plupart des services administratifs, mais également à Bruxelles, où se réunissent les différentes commissions. Simone est parvenue à le rassurer, ses déplacements de magistrate ou de ministre ne l'ont jamais empêchée de s'occuper de sa famille et des enfants. Même s'ils sont grands, elle ne changera pas ses habitudes et restera aussi présente que possible. Antoine est là, assis quelque part dans un coin du Parlement – elle y a tenu.

Son principal soutien émane de l'homme politique avec lequel elle a pourtant le moins d'affinités. Le président Giscard d'Estaing lui a proposé ce challenge des élections européennes, mais il ne s'est pas arrêté là. Dès qu'elle a été élue députée, ayant conscience qu'elle est son meilleur atout politique, il a souhaité qu'elle aille plus loin en devenant candidate au poste de présidente du Parlement européen. Il en a parlé au chancelier allemand Helmut Schmidt, insistant sur le symbole que cela représenterait pour leurs deux pays que la première présidente du Parlement européen élue au suffrage universel soit une ancienne déportée. Simone s'est laissé convaincre avec enthousiasme. Helmut Schmidt s'est laissé convaincre avec incrédulité. Selon lui, les Allemands ne sont pas prêts à élire une Française à ce poste, la guerre et ses blessures sont trop proches. Il s'est néanmoins engagé à tout faire afin de persuader les députés de sa majorité de voter pour elle.

Simone saura bientôt s'ils ont osé franchir le pas. Assise sur son banc, bien droite dans son tailleur bleu, elle attend les résultats du vote. Les minutes s'éternisent.

En dépit de son impatience, une sérénité inattendue l'envahit. Peut-être le pressentiment de sa victoire... Elle a démissionné du gouvernement pour se consacrer à cette nouvelle vie européenne. Elle revoit les regards émus de ses collaborateurs quand elle les a réunis pour leur dire au revoir, le jour de la passation de pouvoir à Jacques Barrot, au dernier étage du palais de Ségur, dans le patio de cet appartement de fonction qui lui a été attribué et où elle n'a jamais vécu. Ils étaient tous là : Dominique Le Vert, son directeur de cabinet, Jean-Paul Davin, son conseiller parlementaire, Colette Même et Myriam Ezratti, les juristes de son cabinet, ainsi que ses deux secrétaires. Elle les a remerciés pour ces cinq années passées à leurs côtés et leur a confié son souhait de continuer à les voir régulièrement lors de déjeuners. Elle a rangé ses dossiers, distribué les objets qui lui avaient été offerts lors de voyages officiels à des ventes de charité. C'était il y a quelques jours et cela lui semble déjà une éternité.

La voix aiguë de Louise Weiss, qui a prononcé le discours d'introduction de la séance, interrompt Simone dans ses rêveries. Elle s'apprête à donner les résultats du vote. « Ont obtenu : madame Veil, 192 voix. » La doyenne française de l'Assemblée – elle est âgée de quatre-vingt-six ans –, inlassable combattante pour la paix, qui dénonçait dès 1933 la menace hitlérienne, poursuit : « Madame Veil a obtenu la majorité absolue des suffrages exprimés. Je félicite madame Veil de son élection, j'adresse les meilleurs vœux pour l'exercice de son mandat, et je l'invite à prendre place au fauteuil présidentiel. »

Elle est élue ! Son regard se perd une poignée de secondes dans les mains qui s'agitent devant elle. Le bruit des applaudissements, qui se prolongent de longues minutes, lui fait un cocon à l'intérieur duquel elle s'abstrait. Finalement, elle se lève pour rejoindre Louise Weiss à la tribune. Au moment où cette dernière lui cède sa place, Simone la remercie hors micro du combat qu'a été sa vie.

La nouvelle présidente tente de se donner une contenance. Elle ne sait où caler son sac à main crème, le posant devant elle, puis un peu plus loin, avant de le reprendre pour y plonger une main fébrile et en extraire ses lunettes. Elle lit le discours qu'elle a préparé. Ce n'est pas encore celui qu'elle prononcera dans quelques heures, lors de la séance solennelle du Parlement, mais elle tient à dire quelques mots de remerciement.

Le lendemain, elle a prévu de parler progrès social, paix et liberté pour les peuples d'Europe. Pourra-t-elle agir comme elle le souhaite ? Elle a en tout cas l'impression de participer à la marche de l'Histoire. Son rêve de réconciliation prend soudain forme. L'ombre du nazisme et de l'antisémitisme s'éloigne. « Pour combien de temps ? » ne peut-elle toutefois s'empêcher de s'interroger.

Les fantômes du passé

Paris, 4 octobre 1980

Elle marche à petits pas sur le trottoir, mais ses talons résonnent comme si elle errait, seule, au milieu d'un paysage de désolation. L'atmosphère de cauchemar où elle évolue à l'instant ressemble à une fin du monde. Elle entend son souffle, les battements de son cœur lui font presque mal. Il ne reste que quelques mètres. Elle ralentit, redoutant ce qu'elle va découvrir, repoussant le moment de se confronter aux images insoutenables qu'elle a vues la veille sur son écran de télévision. Elle n'a pas dormi de la nuit. Le sang sur le sol, les silhouettes blessées qui titubent dans la rue, les yeux hagards.

Elle est restée un long moment prostrée face à l'horreur de cet attentat qui a frappé au cœur de Paris. La bombe a explosé devant la synagogue de la rue Copernic, en plein 16e arrondissement. Quatre personnes sont mortes, une quarantaine d'autres sont blessées.

Elle les aperçoit maintenant au loin, et les visages prennent forme à mesure qu'elle avance. Ils sont des dizaines à se recueillir en silence à l'entrée de la synagogue, personnalités et anonymes venus spontanément.

Elle lit dans les regards l'incompréhension et la souffrance, la compassion et la colère. Tout ce qu'elle ressent elle aussi.

Elle prend place au premier rang pour écouter l'office célébré en mémoire des victimes. Elle qui, il y a tout juste un an, prônait à la tribune du Parlement européen la paix entre les peuples d'Europe constate l'urgence d'un tel combat, tandis que la douleur et la tristesse lui déchirent la poitrine. C'est la première fois depuis la Libération que l'on cherche à tuer des Français parce qu'ils sont juifs. Trente-cinq ans après ce que cette communauté a vécu, les fantômes du passé sont de retour. Dès les premières notes des chants hébreux qui s'élèvent sous le plafond de la synagogue, des larmes coulent en silence de ses yeux clairs. Un instant, la présidente du Parlement européen a de nouveau seize ans. Elle baisse la tête pour cacher son émotion, mais l'image fera le tour des télévisions.

C'est plus qu'un simple rassemblement. Quand la cérémonie s'achève, Simone découvre la foule compacte qui a afflué entre-temps. Impossible de se frayer un chemin, des milliers d'anonymes se recueillent en silence sur des centaines de mètres. Dans un élan spontané, la foule se met en mouvement, telle une vague silencieuse, qui inonde peu à peu les boulevards environnants jusqu'aux Champs-Élysées. Simone se joint au silencieux cortège. Défiler en signe de protestation est un acte politique qu'elle partage ce jour-là avec deux de ses fils, Jean et Pierre-François. Manifester sa colère, montrer que le combat pour la paix et contre la barbarie doit rassembler tous les Français, afficher le soutien de la classe politique française même si elle ne fait plus partie du gouvernement, telles sont les raisons qui l'ont amenée ici ce jour-là.

Une honte rageuse l'étouffe. Aucun homme politique n'est présent parmi ces milliers de gens, ni le ministre de l'Intérieur, ni le Premier ministre Raymond Barre, et pas davantage le président de la République Valéry Giscard d'Estaing, occupé par une partie de chasse en Alsace. Honteuse absence.

Très vite, les photographes et les journalistes se tournent vers elle. L'émotion est trop intense, elle se sent incapable de leur répondre sur le vif. Son silence est mal interprété, elle est prise à partie par les gens comme témoin d'un gouvernement absent et qui s'est montré incapable de protéger les citoyens. Ses fils parviennent à l'exfiltrer in extremis du défilé et la mettent à l'abri dans le restaurant d'un ami rue Marbeuf. Un peu plus loin, place de l'Opéra, la foule interpelle des policiers, responsables involontaires du désastre.

En regagnant son domicile, Simone s'interroge sur l'identité des auteurs de l'attentat. L'enquête prendra du temps. Elle écoute le président de la République, qui s'invite chez les Français dans la soirée, par le biais du petit écran. Il envoie un message d'amitié et de soutien à la communauté juive tout en faisant quelques annonces – notamment l'envoi de renforts de CRS devant les synagogues et les écoles. Mais c'est un autre discours qui l'obsède. Elle ne cesse de repenser à l'allocution du Premier ministre juste après l'attentat. Raymond Barre, qui n'a pas fait l'effort d'être présent pour l'hommage rendu rue Copernic, a prononcé une phrase qu'elle ne lui pardonnera jamais. Il s'est dit « plein d'indignation à l'égard de cet attentat odieux qui voulait frapper les Israélites qui se rendaient à la synagogue et qui a frappé des Français innocents ». Comment a-t-il osé ? Comment peut-il s'être à ce point égaré à établir une sordide distinction entre Juifs et Français ? Que sous-entend-il ? Elle avait déjà peu d'affinités avec le Premier ministre du temps où elle était au gouvernement, après le départ de Jacques Chirac, mais, depuis quelques heures, ses réserves se sont confirmées. Simone est furieuse. En 1976, déjà, elle avait menacé de démissionner du gouvernement le jour où, en plein Conseil des ministres, Raymond Barre avait employé l'expression de « lobby juif ». Il l'avait alors accusée d'avoir mal saisi son propos. En fait, elle avait très bien compris. Il récidive. L'antisémitisme n'est jamais loin. Il avance en se faufilant, tel un serpent sournois.

Paris, 7 octobre 1980

Depuis le drame, les médias sollicitent de Simone une déclaration. Elle a préféré attendre avant de s'exprimer. Sa colère est telle qu'elle a pris le temps de choisir les mots qui décriraient le mieux les émotions qu'elle ressent en tant que juive. En arrivant rue Bayard, près des Champs-Élysées, elle repense aux heures qui ont suivi l'attentat et à cet élan de solidarité venu des profondeurs de la nation. Dans le studio de RTL, elle énonce, les yeux baissés, les phrases qu'elle s'est répétées en boucle ces dernières heures : « À partir du moment où on a le sentiment qu'une fraction de la population peut être attaquée, touchée physiquement, et non pas seulement par des paroles ou par des graffitis, que ces actes peuvent devenir des violences physiques aboutissant à la volonté de tuer, eh bien ça se rapproche effectivement du sentiment qui devait inspirer les pogroms autrefois. » La formule claque. Simone veut marquer les esprits. « Pogroms » ! Si elle est aussi fortement touchée, c'est justement à cause du passé. Il lui a semblé bon de le rappeler, si douloureux soit-il. Simone a rarement pris position en tant que juive, elle qui a été élevée dans une famille laïque, mais, trente-cinq ans après son retour d'Auschwitz, elle voit ressurgir les spectres hideux de son adolescence. La laisseront-ils jamais tranquille ?

L'attentat de la rue Copernic n'est pas un cas isolé, d'autres attaques antisémites meurtrières vont suivre, visant à chaque fois des lieux juifs, comme l'attentat de la rue des Rosiers, un an et demi plus tard, le 9 août 1982, qui fera six morts et une vingtaine de blessés dans le quartier du Marais à Paris. Ces attaques, liées aux conflits qui secouent le Proche-Orient, meurtrissent la communauté juive en général et Simone en particulier. Son rêve de paix en Europe est-il en train de s'effriter ?

Ceci, surtout, qui présage du pire et la concerne directement. Depuis le vote de la loi sur l'IVG, elle est la cible d'attaques antisémites, parfois directes, mais le plus souvent sous la forme de lettres anonymes. Elle en reçoit des sacs entiers au ministère, au Parlement européen, fréquemment aussi à son domicile. Les agressions verbales, les outrances ordurières vont crescendo, en même temps que la banalisation rampante du Front national, qui distille avec un naturel croissant, par la voix de ses cadres, des insinuations antisémites visant certains membres du personnel politique.

Selon elle, le basculement intervient au moment de la campagne pour les élections européennes. Simone se souvient de l'un de ses meetings, rue Lepic à Paris, que des membres du Front national étaient venus perturber par des cris et des sifflements. Jean-Marie Le Pen lui-même faisait partie du commando. Sans se démonter face au sourire du leader d'extrême droite, tordu en un arrogant rictus, son visage grimaçant de haine, elle lui avait lancé depuis la tribune : « Vous ne me faites pas peur, pas peur du tout. » Ils sifflaient, elle haussait la voix : « J'ai survécu à pire que vous. J'ai survécu à pire que vous, vous n'êtes que des SS aux petits pieds. » Les journalistes présents étaient sidérés. Puis, pendant plusieurs secondes, elle les avait toisés d'un regard de glace. L'affrontement avait tourné ensuite à la bagarre générale. Elle était sortie à ce moment-là, au milieu des œufs pourris, des bombes lacrymogènes et de l'intervention de la police. Le meeting suivant devait se tenir dans le 20e arrondissement. Il fallut l'annuler.

Dorénavant, elle ne laissera plus passer aucun des dérapages du parti d'extrême droite dirigés contre elle. Non seulement parce qu'ils ravivent les plaies brûlantes dont sa chair est à jamais marquée, mais surtout parce que les ignominies antisémites du Front national doivent être impitoyablement traquées. Dans son esprit, les dénoncer revient à rappeler à l'opinion publique à quelle sorte de culture politique particulièrement nauséabonde se rattache le mouvement.

Paris, 13 septembre 1987

À chaque intervention de Jean-Marie Le Pen, Simone prête l'oreille, redoutant les attaques. Elle a dit et répété ce qu'elle pensait d'un parti dont le président a fait de la provocation sa stratégie de communication. Elle refuse depuis des années, avec intransigeance, toute alliance politique avec le Front national. Faire campagne commune pour des raisons électoralistes, comme ce fut le cas lors des élections municipales partielles à Dreux en 1983, où le RPR, l'UDF et le FN avaient passé un accord, revient selon elle à pactiser avec le diable. Elle l'a dit haut et fort. C'était la première fois depuis la Libération que droite et extrême droite faisaient front commun afin de triompher. Pour Simone, ce fut un funeste tournant dans l'histoire de la République.

Elle fut soutenue, mais tardivement, par Michel Rocard, qui lança un appel à la « responsabilité républicaine », ainsi que par quelques autres. Elle s'était toutefois sentie très seule. Quelques mois plus tard, aux législatives de 1988, alors qu'un nouvel accord était envisagé, elle déclara que, « entre un Front national et un socialiste », elle voterait « pour un socialiste ».

C'est pour toutes ces raisons que, ce 13 septembre 1987, elle prête attention à chaque mot prononcé sur les ondes par le leader du Front national : « Je ne dis pas que les chambres à gaz n'ont pas existé. Je n'ai pas pu moi-même en voir. Je n'ai pas étudié spécialement la question. Mais je crois que c'est un point de détail de l'histoire de la Deuxième Guerre mondiale [...]. Voulez-vous me dire que c'est une vérité révélée à laquelle tout le monde doit croire ? C'est une obligation morale[1] ? » Jean-Marie Le Pen vient de franchir une nouvelle étape qui laisse Simone sans voix. Dans les heures qui suivent, nombreux sont ceux qui lui demandent comment elle a réagi à cette déclaration. Que leur répondre ? Les chambres à gaz, les fours crématoires, un « point de détail » ? Ses enfants n'ont jamais vu leur mère entrer dans une aussi dévastatrice colère. Pas une rage qui retomberait après avoir explosé, non, une fureur sourde. Qui la meurtrit au nom de tous ceux qui ont disparu dans les camps, ceux qu'elle a vus partir de ses yeux. C'est ce qu'elle dira avec émotion dans les médias, se référant aux propos révisionnistes qui progressent tel un ver dans le fruit de la démocratie.

7 septembre 1989

Est-ce le fait qu'elle ait été réélue députée européenne qui a suscité chez certains un soupçon de jalousie ? Même si elle n'est plus présidente de l'Europe, elle siège au Parlement sans discontinuer depuis dix ans, comme présidente ou vice-présidente de son groupe. Après les attaques de Jean-Marie Le Pen, c'est un député européen du Front national qui va s'en prendre verbalement à elle, lors d'une interview dans la presse écrite. Le cinéaste – il est le réalisateur de *La Traversée de Paris* – et député d'extrême droite Claude Autant-Lara déclare au journal *Globe*, en une allusion directe au passé de déportée de Simone Veil : « Que vous le vouliez ou non, elle fait partie d'une ethnie politique qui essaie de s'implanter et de dominer, elle joue de la mandoline avec ça. Mais elle est revenue, hein, elle se porte bien. Bon, alors, quand on me parle de génocide, je dis : "En tout cas, ils ont raté la mère Veil[2]." » Pour Simone et sa famille, c'est l'agression ultime. Deux mois plus tôt, lors des élections européennes, elle avait tenu à marquer sa désapprobation à l'entrée du cinéaste FN au Parlement. Quand, doyen d'âge de la nouvelle Assemblée, il avait prononcé le discours inaugural, Simone avait tout simplement quitté la séance au milieu de son allocution, suivie par d'autres députés. Cette attaque dirigée contre sa personne ne l'étonne pas plus que cela. Claude Autant-Lara dément ses propos, mais l'interview a été enregistrée. La volonté de blesser éclate à chacune de ses phrases. La classe politique française condamne les paroles du cinéaste et réclame des sanctions, mais Claude Autant-Lara ne lui laisse pas le temps de mettre ses menaces à exécution, il démissionne du Parlement de Strasbourg. Une sanction qui ne suffit pas à Simone, qui lui répondra publiquement.

Par ces mots : « Le FN a fait un coup avec Autant-Lara en venant le chercher, [...] c'est un vieillard qui est, paraît-il, toujours méchant, qui n'a pas eu le succès, dans les dernières années, qu'il pouvait espérer, [...] qui est devenu de plus en plus aigri. On dit quelquefois que la vieillesse est un naufrage[3]. » Quatre jours après les errements de Claude Autant-Lara, Simone clôt la polémique en invoquant, charitable, la sénilité. Son message est cependant parfaitement limpide : « Il y a des choses que, vis-à-vis des morts, on n'a pas le droit de laisser parler, vis-à-vis de mes camarades qui sont morts, vis-à-vis de mes parents, de mon père, de ma mère, de mon frère, de mon oncle, de mon cousin, nous n'avons pas le droit !

Et d'ailleurs, on nous a reproché, à nous Juifs, d'avoir été lâches, de nous être laissés mener à l'abattoir, donc quand nous réagissons vis-à-vis des faurissoniens[4], c'est parce que nous ne pouvons pas ne pas réagir. Moi je pensais que, après avoir vécu ça, je pourrais vivre comme tout le monde, tranquillement, ça m'est douloureux à chaque fois de parler, c'est difficile, sauf avec mes copains de déportation [...], mais sans arrêt on remet ça et on se dit : "Mais qu'est-ce qu'on a fait pour, cinquante ans après, ne pas avoir le droit, encore, de vivre comme les autres ?" »

Revenir sur cette période de l'Histoire, qui est sa plus grande blessure, et devoir l'expliquer, argumenter, convaincre, est, selon l'expression de son fils Jean, comme si elle recevait « une espèce de crachat » à chaque fois. Simone a longtemps cru que, à travers l'Europe, l'antisémitisme finirait par s'éteindre, en tout cas qu'il disparaîtrait du champ politique. Cinquante ans plus tard, elle constate avec effroi que ce n'est pas le cas. Son rêve d'Europe comme rempart aux pires atrocités de l'Histoire a-t-il encore un sens ?

Berlin, 11 novembre 1989

Le jet privé a atterri à Berlin-Ouest. Le petit groupe de Français sort en silence de l'aéroport et se dirige vers le centre de la ville qui deviendra la capitale de l'Allemagne réunifiée. Aux côtés de Simone, quelques personnalités. Parmi elles, le député européen Claude Cheysson – ancien ministre de François Mitterrand – et plusieurs journalistes, invités par leurs confrères Michèle Cotta et Robert Namias à participer à une émission spéciale. Depuis quelques heures, tous savent que le mur de Berlin s'apprête à tomber. Simone était en pleine conférence à Barcelone quand la nouvelle s'est propagée dans l'assemblée. Elle est rentrée précipitamment à Paris pour sauter dans cet avion privé qui lui donnait la possibilité de vivre un moment d'« Histoire en marche ». La rumeur a désormais gagné la planète entière et des caméras de télévision de tous les pays sont positionnées le long du mur, prêtes à retransmettre l'épisode en direct sur les écrans du monde.

Emmitouflée dans son manteau de fourrure, Simone s'est postée sur une estrade devant la porte de Brandebourg. À ses côtés pour vivre l'événement, son mari Antoine. C'est ensemble qu'ils souhaitent, comme ils le font depuis quarante-cinq ans, partager ces bribes d'Histoire. Une Histoire qui a un sens. Elle s'inscrit dans le sillage de sa propre histoire, familiale et individuelle, avec l'Europe qui se construit sous ses yeux.

Elle reste ainsi plusieurs heures, statique au bras

de son époux, sans pouvoir détacher son regard du mur. Des brèches ont été ouvertes çà et là dans la paroi, épaisse de deux mètres par endroits, laissant passer quelques personnes de l'Est vers l'Ouest, dans une véritable explosion de joie. « Rien de tout ce qui arrive n'a été prévu. Voilà la preuve qu'il n'y a pas de fatalité et que les hommes comptent dans l'Histoire », confiera-t-elle quelques instants plus tard à un journaliste[5].

Même si elle avait évoqué en compagnie de l'ancien chancelier Helmut Schmidt, celui qui avait tant œuvré pour qu'elle soit la première présidente du Parlement européen, la perspective d'une telle issue à la tragédie que vivait son pays brisé en deux, elle n'aurait jamais cru vivre pareils instants d'euphorie historique. La chute du mur est pour elle bien plus que la réunification de l'Allemagne, c'est la fin d'un monde et le début d'un autre, la fin du communisme, qu'elle a toujours combattu, et le projet d'une Allemagne réunifiée et forte. François Mitterrand et Helmut Kohl avaient scellé les débuts de cette réconciliation dès 1984. Le 22 septembre, au terme d'une visite à Douaumont, près de Verdun, où reposent les ossements de cent trente mille soldats français et allemands, tombés en 1916, le président et le chancelier ouest-allemand s'étaient tenu la main de façon symbolique au cours d'un moment solennel où retentissaient les deux hymnes nationaux.

Le rêve de Simone, d'une Europe unie qui œuvrerait pour la paix, est désormais accessible. C'est ce qu'elle explique à Robert Namias, alors que tous deux longent le mur dans le cadre de l'enregistrement d'une émission de télévision. Ce jour-là, l'émotion de Simone est aussi forte que son enthousiasme.

Elle reste seule. Elle s'isole tout en continuant de

marcher près de la paroi bariolée dont elle fait quelques clichés. Certains immortalisent la foule en mouvement, Simone fixe sur pellicule des graffitis symboliques – le mot « Europe » tagué en lettres géantes, mais aussi une croix gammée et une faucille, témoins d'un temps qui, dorénavant, appartient bel et bien au passé.

Avant de repartir, elle glisse au fond de la poche de son manteau un éclat de ce mur qu'elle a vu tomber en direct, comme un petit fragment d'Histoire.

Son jardin secret

Paris, juillet 1994

Lisser encore, d'un geste sûr, le pli de la nappe en coton, compter, recompter une énième fois le nombre d'assiettes, ajuster le bouquet de fleurs posé au centre de la table ovale. Dans quelques minutes, ils seront tous là. Comme chaque samedi à l'heure du déjeuner. Depuis des années, le rituel est identique, même si le déjeuner du dimanche s'est peu à peu transformé en déjeuner du samedi. Cette famille de trois enfants et d'une dizaine de petits-enfants représente sa plus grande fierté. Certains parlent même de tribu. Au fil du temps, elle a ajouté des couverts et une deuxième table pour les plus petits, souvent rejoints par leur grand-père Antoine au cours du repas. Elle aime que ses fils l'appellent la veille pour dire qui viendra et combien ils seront. Année après année, sa plus grande joie est de constater qu'ils répondent presque toujours présents à ce rendez-vous hebdomadaire.

Pour Simone, ce déjeuner est un moment privilégié qu'elle ne raterait pour rien au monde : elle a parfois le sentiment de ne pas avoir passé assez de temps avec ses fils. Ils ne lui ont jamais rien reproché, et l'amour d'une mère ne se quantifie pas au nombre d'heures partagées avec ses enfants, mais comment savoir si ce fut assez ?

Simone vient d'avoir soixante-sept ans. Elle est à nouveau ministre de la Santé. Était-ce raisonnable d'accepter cette proposition du Premier ministre Édouard Balladur ? Elle est ministre d'État, troisième personnalité du gouvernement, mais, en pleine cohabitation avec François Mitterrand, elle n'agit pas aussi librement qu'elle le souhaiterait. D'autant qu'elle a demandé à obtenir, en plus de la Santé et des Affaires sociales, le portefeuille de la Ville. Un nouveau défi qu'Antoine associe à l'inaltérable soif d'adrénaline dont sa femme semble être la proie volontaire. Elle se demande tout de même si elle ne devrait pas plutôt consacrer son énergie à sa famille. C'est ce qu'elle a laissé entendre il y a quelques jours lors d'une interview à la radio. Elle a laissé parler son cœur en disant qu'elle était « fatiguée » et qu'il était temps qu'elle « change de vie[1] ». Les journalistes se sont inquiétés, elle a dû préciser sa pensée le lendemain et rassurer tout le monde : « En disant cela, je songeais à ma vie de famille. Je l'ai délaissée et, au bout de deux ans, on a envie de la reprendre en main[2]. »

Ils arrivent, les uns après les autres, égayant de leurs rires ce grand appartement où elle vit désormais seule avec Antoine. La bonne humeur fait partie de leurs rendez-vous. Il faut dire que, avec trois garçons à la maison, les moments passés en famille n'ont jamais été calmes. Mais Simone aime quand il y a de la vie autour d'elle, même si les discussions sont, au fil des années, de plus en plus animées.

Ce jour-là, comme tous les autres, ce qui lui plaît, ce sont ces conversations où ils débattent des sujets politiques et sociaux du moment. Simone veut connaître l'avis de ses trois fils. Mais comme deux d'entre eux sont avocats, Jean et Pierre-François, ils argumentent et s'amusent à la contredire. Ils exercent le métier qu'elle rêvait de faire adolescente. Comme son père jadis, son mari Antoine ne trouve pas que ce métier soit respectable. Il aurait préféré que ses fils suivent un cursus similaire au sien, Sciences Po puis l'ENA, pour se diriger vers une carrière de haut fonctionnaire. Alors, comme sa mère avant elle, et sans doute par esprit de contradiction ou goût de la provocation, Simone a encouragé ses garçons. Les droits de l'homme sont sans doute ce qu'elle place en tête de tous ses idéaux.

Sur le ton de la plaisanterie, ils s'amusent parfois du rêve de leur mère lorsqu'elle insiste sur ses études de droit et son parcours de magistrate : fonder à sa retraite un cabinet d'avocats familial « Veil mère et fils ».

Ils aiment la taquiner, la pousser dans ses retranchements, et cela l'amuse, du moins un moment. Mais Simone est soupe au lait, comme le lui font souvent remarquer Antoine et ses enfants. Il s'avère parfois prudent de ne pas dépasser certaines limites. Jean l'a un jour appris à ses dépens, lorsque sa mère, empoignant la carafe, lui a jeté un peu d'eau fraîche au visage pour lui signifier son agacement. Simone n'apprécie pas qu'on la contredise. Cela la met dans des colères terribles qui retombent aussi vite qu'elles arrivent. Et c'est quelquefois embarrassant pour les garçons, quand des amis qu'ils ont invités à déjeuner sont réprimandés, Simone ne se gênant pas pour dire qu'elle n'a « jamais rien entendu d'aussi con ».

Elle s'assoit toujours au même endroit, au centre de la table, Antoine s'installant face à elle, leurs fils autour d'eux. Jean, l'aîné, toujours à sa droite, et les

« pièces rapportées », comme ils disent, belles-filles et petits-enfants, se répartissant en orbite. À première vue, on pourrait croire que c'est elle le chef de famille. Mais dans ces moments-là, le vrai patron, c'est Antoine. Il donne au déjeuner son impulsion, décide des sujets, lance les discussions. Lui encore qui interroge tour à tour chacun sur son travail, ses projets, ses résultats lorsqu'on a l'âge d'être à l'école ou à la fac.

Moment redoutable. Certains baissent la tête. L'interrogatoire agace Simone. Son époux ne s'intéresse qu'à ceux qui réussissent, qui visent de hautes études, quand elle se montre attentive aux aspirations de chacun. Antoine était déjà comme ça avec leurs propres enfants. Simone se demande souvent si ce n'est pas en raison de son caractère exclusif. Il n'a jamais supporté de la partager, même avec ses fils. Il a toujours aimé passer des moments seul avec son épouse, discutant des heures dans le salon. Il s'énervait lorsque, à son retour du travail, il trouvait ses fils en grande conversation avec leur mère. Il leur demandait de déguerpir pour s'isoler avec elle. Simone a toujours senti en lui une sourcilleuse pointe de jalousie. C'est ce qu'elle a jadis connu petite avec ses parents. Son père ne supportait pas qu'elle reste dans les jupes de sa mère. Elle se souvient de l'exaspération de celui-ci lorsque les discussions menées par Yvonne s'éternisaient au chevet de ses quatre enfants, chaque soir au moment du coucher. Elle prenait alors un malin plaisir à retarder le temps du dernier baiser.

Le déjeuner du samedi ne serait pas ce qu'il est sans quelques chocolats. C'est le péché mignon de Simone. En lui tapant sur la main, Antoine essaie de l'empêcher de trop piocher dans les boîtes dont on lui fait cadeau. Sa légère tendance à l'embonpoint l'oblige à être attentive. Quand même, difficile de résister ! Lorsqu'elle parvient enfin à en attraper un à l'insu de ses proches, mais qu'il n'est pas à son goût, elle le replace discrètement dans la boîte à moitié croqué, comme si de rien n'était, un sourire au coin des lèvres.

Lors de ces déjeuners, Simone se remémore les autres rendez-vous familiaux, notamment les gâteaux qu'elle a partagés pour ses anniversaires au fil des années. La plus belle surprise reste sans doute celle qu'ils lui ont faite à l'occasion de ses soixante ans. Antoine l'avait emmenée à Venise, en amoureux. Ils s'étaient promenés le long de la lagune, avaient passé une première journée à flâner sur les pontons, à admirer les gondoles et le pont des Soupirs. Un solide programme culturel avait été établi pour les jours suivants. Mais, au moment où le soleil avait embrasé l'horizon, son cœur avait failli exploser : ils étaient là, devant elle, dans la douceur du soir vénitien. Elle avait vu arriver chacun des membres de sa tribu. Jean, Claude, Pierre-François, leurs épouses et leurs enfants. Elle s'était dit une nouvelle fois ce jour-là que cette famille était ce qu'elle possédait de plus cher. Ils avaient vécu des journées passionnantes et des soirées inoubliables, des dîners dans des restaurants souvent choisis par Jean, des moments de repos entre deux visites, assis en petit groupe sur la place Saint-Marc, des petits déjeuners au soleil sur la terrasse de leur hôtel… Elle se souvient particulièrement d'un moment qui l'émeut chaque fois qu'elle y repense. Debout devant la table ronde où s'étaient installés Antoine, leurs belles-filles et Pierre-François pour boire leur café du matin, ce dernier lui avait proposé de s'asseoir sur lui, puisqu'il manquait une chaise. Dans un geste spontané, elle qui d'ordinaire est si peu démonstrative, est allée prendre place sur les genoux de son dernier fils. Elle a enfoui sa tête dans son cou, si heureuse de partager cet instant complice avec lui. Elle s'est amusée longtemps de l'étonnement que son attitude a suscité, elle qui ne supporte pas qu'on la prenne par les épaules ou qu'on la serre dans les bras.

Ces moments sont imprimés à jamais sur les bandes du caméscope familial. Elle ne les a pourtant jamais regardées, ces images qui sont fixées pour l'éternité dans sa tête. Des fragments du film de sa vie font leur apparition de temps à autre, au détour d'un mot, d'une intonation ou d'une odeur. Il y a les dîners de Noël, l'ouverture des cadeaux, toujours autour de la grande table familiale, les vacances d'été dans leur maison du sud de la France, à Beauvallon dans le Var, près de Sainte-Maxime, où les plus jeunes des petits-enfants étalent leurs jouets sur la terrasse tandis que leurs aînés discutent assis sur la margelle de la piscine, les pieds dans l'eau. Les heures où Antoine s'isole en silence, un cigare à la bouche et un livre à la main, dans un fauteuil confortable, souriant à chaque fois qu'elle passe devant lui.

Quelquefois, le passé et le présent se superposent. Après le déjeuner au rituel immuable vient le moment où Simone se retire dans sa chambre. C'est la pièce de la maison qu'elle préfère, car elle y retrouve son lit. Sans aucun doute le lieu où elle passe le plus de temps lorsqu'elle est chez elle. Elle s'y allonge pour se reposer, réfléchir, lire un livre en silence, trier son courrier, regarder les émissions qui lui plaisent. Surtout, elle y travaille. Si les Français savaient que c'est sur son lit qu'elle a préparé en grande partie son projet de loi sur l'IVG et écrit son discours d'introduction… Son bureau ne lui sert que rarement. C'est sur son lit qu'elle trouve l'inspiration, que ses idées se mettent en ordre. Il représente tant de choses. C'est le nid de son enfance.

Le lit maternel est associé à des souvenirs de moments complices. Sa mère s'y allongeait aux côtés de ses trois filles, discutant des heures. Simone continue à reproduire, plus de cinquante ans après, ces instants dont elle est aujourd'hui nostalgique. D'ailleurs elles sont là, tout près d'elle. Les photos de ses parents, de son frère et de ses sœurs sont accrochées au mur, tout autour du lit. Elle se dit ainsi qu'ils veillent sur elle.

C'est pour cette raison qu'elle a, à son tour, fait de son lit un lieu de confidences. Elle a recréé une sorte de boudoir feutré dans lequel elle convie tour à tour ceux qui ont besoin de se confier ou ceux avec qui elle souhaite converser. Elle adore y recevoir ses belles-filles. Simone n'a jamais eu de fille et c'est l'un des grands regrets de sa vie. Ne pas pouvoir retrouver la complicité qu'elle a connue jadis avec sa mère est un manque qu'elle ne comblera pas. Alors elle se console avec les épouses de ses fils ou avec ses petites-filles. Rien ne lui plaît plus que de passer des heures à partager des secrets de femmes. Elles se retrouvent ainsi souvent à Paris, dans l'appartement de la place Vauban, mais également en vacances. Simone s'installe sur la multitude de petits coussins dont le lit est plein, les cheveux détachés. Rares sont ceux qui la voient ainsi. Un privilège qui appartient à sa famille et lui redonne l'air rebelle qu'elle avait à seize ans, cet air qu'elle a, depuis, discipliné entre les épingles de son chignon strict. La Simone qui sourit en déployant sa chevelure ondulée n'a pas grand-chose à voir, en apparence, avec la carapace qu'elle a enfilée à son entrée dans la vie professionnelle. Pourtant, c'est bien la même personne, c'est tout le paradoxe de Simone, cette douceur mêlée à un premier abord de froide distance.

Lorsqu'ils partent, elle affronte un vide, un spleen passager et cependant pénible. Cela ne dure pas. Avant le déjeuner de la semaine suivante, malgré leur vie bien remplie, tous lui auront rendu visite à tour de rôle. Jean aime venir tôt le matin avant de partir à son cabinet, ils passent de longues minutes à converser sur son lit. Elle trouve toujours le temps de courir les boutiques avec ses petites-filles, ou de s'échapper quelques heures avec Claude à l'heure du déjeuner pour voir une exposition de peinture. Une heureuse routine qui va brusquement s'arrêter.

12 août 2002

Elle repose le combiné en silence et décide de ne plus en parler. Par pudeur. Simone n'a jamais étalé son chagrin. Pourtant, elle a eu son lot, peut-être plus que d'autres.

Son fils Claude vient de mourir. Sa douleur est immense et elle ne souhaite la partager avec personne. Antoine est dévasté.

Il est encore tôt ce matin-là, elle se sent incapable de prévenir ses autres fils, Jean et Pierre-François. Il le faut pourtant. Elle les appelle donc l'un après l'autre, sans rien dévoiler de l'onde de choc qui vient de la ravager. Les sentiments intimes sont, pour elle, de l'ordre du sacré.

Elle était en vacances dans cette maison du sud de la France, où ils ont partagé tant de moments, lorsqu'elle a été prévenue. Le retour à Paris lui paraît interminable, elle n'entend plus les battements de son cœur, elle est comme anesthésiée.

Elle a encore peu d'informations, Claude-Nicolas serait décédé d'une crise cardiaque. Lui qui était médecin n'a pas su se sauver la vie. Il avait cinquante-quatre ans et laisse deux garçons. C'est avec lui que Simone partageait sa passion pour l'art. Elle le rejoignait à l'heure du déjeuner dans telle galerie ou telle salle des ventes. De temps à autre, elle revenait avec un objet ou un tableau et s'amusait par avance de la réaction courroucée d'Antoine qui s'inquiétait des dépenses, selon lui inconsidérées, de son épouse. Alors, jetant un regard complice à Claude, elle affirmait à son mari que c'était un cadeau que son fils venait de lui offrir, ou que l'œuvre d'art était un achat de Claude et qu'elle était simplement en dépôt chez elle.

Elle continuait à l'appeler Claude alors qu'il détestait son prénom. Ses frères s'en sont tellement moqués, le surnommant « Claudette » quand il recevait des échantillons de parfumeurs au nom de « mademoiselle Claude Veil », qu'il a un jour décidé, au retour d'un voyage dans un kibboutz en Israël, de ne garder que son deuxième prénom, Nicolas. Pour certains, depuis, il s'appelait Nicolas. Ses confrères ne le connaissaient d'ailleurs que sous ce nom, Nicolas Veil. Mais, pour Simone, il restera toujours Claude.

Voir brisée cette famille qu'elle a tissée comme un cocon ne lui donne plus confiance en la vie. Pourquoi le destin s'acharne-t-il ainsi sur les gens qu'elle aime et autour desquels elle a construit son existence ? Le jour des obsèques, devant le cercueil de Nicolas, Simone a prononcé cette phrase qui s'est propagée tel un frisson parmi ceux qui l'ont entendue : « J'ai commencé ma vie dans l'horreur, et je la termine dans le désespoir. »

Devoir de mémoire

Paris, 25 janvier 2005

« André Jacob, 1891 – Jean Jacob, 1925 – Madeleine Jacob, 1923 – Simone Jacob, 1927 – Yvonne Jacob, 1900. »

Leurs noms sont gravés dans la pierre de Jérusalem, sur ces immenses murs qui encadrent le parvis du Mémorial de la Shoah. Classés par date de départ et par ordre alphabétique, ces noms, qui renvoient parfois à des photos en noir et blanc que les visiteurs consultent à l'intérieur du bâtiment, aux archives, sont tout ce qui reste des millions d'hommes, de femmes, d'enfants envoyés à la mort par Hitler parce qu'ils étaient juifs.

Le visage de Simone est inondé de larmes. Jacques Chirac se tient à ses côtés, il esquisse un geste de tendresse pour la réconforter, puis se ravise. Le moment est solennel, mais la façon dont il la regarde ne laisse aucun doute sur la compassion qu'il éprouve pour celle qui fut à la fois son alliée et son adversaire, l'une des rares amitiés féminines qu'il entretient depuis trente ans.

Eux ont disparu. Elle est encore là. Tous ceux qui se recueillent autour de Simone ont partagé à un moment donné cette culpabilité d'être rentré, d'être en vie, d'avoir survécu au destin qu'avait écrit pour eux l'Allemagne nazie – avec la complicité du régime de Vichy. Simone regarde une partie des soixante-seize mille noms des victimes expédiées depuis la France vers l'enfer. Une sensation de vertige la saisit.

Le 25 janvier 2005 est jour d'inauguration officielle. Toutes les personnalités concernées par ce terrible morceau d'Histoire sont présentes. Légèrement penchée dans son grand manteau noir, Simone essaie de retenir ses larmes sans vraiment y parvenir.

Deux jours plus tôt, elle a inauguré ici même le mur des Noms en tant que présidente de la Fondation pour la mémoire de la Shoah. Elle avait prévenu son auditoire : « J'ai souhaité voir ce mur avant de parler devant vous. Je craignais en effet que, trop bouleversée, il ne me soit pas possible de m'exprimer[1]. »

Marchant longtemps, seule et recueillie, le long du mur correspondant aux départs de 1944, elle avait pris le temps de s'imprégner des lieux. Devant son nom, elle a murmuré les prénoms de ses proches l'un après l'autre. En s'éloignant, elle a eu une pensée émue pour sa sœur Denise, résistante, déportée à Ravensbrück, dont le nom ne figure pas sur le mur, mais grâce à qui, à son retour, elle a trouvé la force de surmonter l'épreuve, aux côtés de son autre sœur Milou.

Dans la salle des archives, un employé lui a montré un petit carnet dont elle ignorait l'existence, sur la souche duquel était inscrite la somme de mille quatre-vingt-dix francs prélevée à « Yvonne Jacob » lors de son arrivée à Drancy, avant son départ pour Auschwitz. Une somme qui était censée lui être restituée à sa sortie du camp, comme les objets que l'on rend à un prisonnier lorsqu'il quitte la maison d'arrêt. Le montant est reporté à la main à l'encre verte, en toutes lettres. Simone reconnaît également l'adresse de l'appartement familial à Nice, situé au 1 rue Cluvier. En une poignée de secondes, ces mots griffonnés sur une fiche de 1944 ont fait surgir dans son esprit le visage de sa mère.

L'homme qui, en cet instant, avance avec elle le long du mur l'accompagnera à Auschwitz quelques jours plus tard pour participer aux commémorations du soixantième anniversaire de la libération des camps.

Valéry Giscard d'Estaing lui avait proposé de faire le voyage lorsqu'elle était dans son gouvernement. Elle avait refusé, sans doute imparfaitement prête. Sans doute aussi parce que, sans rien oublier, elle est parvenue à établir une espèce de distance. Qui n'empêche pourtant pas l'émotion de la submerger. En outre, Jacques Chirac est le premier président de la République à avoir reconnu, il y a exactement dix ans, la responsabilité de l'État français dans la déportation de milliers de Juifs vers l'Allemagne pendant la Seconde Guerre mondiale. Discours essentiel, prononcé le 16 juillet 1995, au Vélodrome d'Hiver, à Paris, un lieu symbolique, cinquante-trois ans après la rafle de treize mille cent cinquante-deux Juifs.

Simone avait longtemps attendu ces mots dans la bouche d'un président de la République et ils avaient été dits par celui qui la connaissait le mieux, presque immédiatement après son élection. Le jour du vote, elle lui avait préféré Édouard Balladur, dont elle était la ministre de la Santé. Mais elle avait reconnu à Chirac un vrai courage lorsqu'elle l'avait entendu parler des « fautes commises par l'État[2] ». Édouard Balladur aurait-il franchi un tel pas ? Tous les autres présidents s'étaient rangés derrière de Gaulle, qui ne souhaitait en aucun cas considérer les fautes du régime de Vichy comme celles de l'État français.

Jacques Chirac ne s'était pas contenté d'un discours. Il avait également reconnu la responsabilité de la France dans la spoliation des biens des Juifs et proposé réparation. Dès 1997, son Premier ministre Alain Juppé avait confié à Jean Mattéoli la présidence d'une mission d'étude sur le sujet. Simone avait suivi l'avancée des travaux, auxquels participait notamment Serge Klarsfeld. Pendant la guerre, plus de quatre-vingt mille comptes bancaires juifs et six mille coffres avaient été bloqués, trente-huit mille appartements vidés de leur mobilier et plus de cent mille objets d'art pillés. Au fil des années, tout ce qui avait pu être restitué aux familles le fut. Simone s'est souvent demandé, à son retour en France après la Libération, ce qu'était devenu l'appartement de son enfance à Nice. Les jouets qui peuplaient sa chambre, les photos de famille, les robes de sa mère. Quand elle est rentrée, il ne lui restait pour unique bagage que ses souvenirs.

Drancy, le même jour, 25 janvier 2005

Elle a à peine franchi la porte de la salle de classe que des applaudissements fusent. On leur a parlé d'elle, longuement, avant son arrivée. La déportation est le projet sur lequel ils ont travaillé cette année. Simone voit dans toutes ces paires d'yeux qui se retournent sur son passage un peu d'admiration et beaucoup de curiosité.

Elle s'installe et, contrairement à toutes les fois où elle a eu à prononcer un discours, elle n'a, face à ce jeune auditoire, aucune appréhension. Elle sait ce qu'elle est venue leur dire. Elle qui d'habitude déteste improviser est venue cette fois sans notes. Tandis qu'elle déroule le récit de sa vie, Simone voit dans le regard de ces jeunes collégiens et lycéens que son histoire personnelle prend sens. Pour des adolescents, entendre un tel témoignage est plus fort que de le lire dans un livre d'histoire. Et l'entendre ici, à Drancy, est un symbole. Dans cette ville qui porte à jamais les stigmates de l'horreur vécue par près de quatre-vingt mille Juifs de France, retenus entre les murs de ce camp de transit instauré sous le gouvernement de Vichy, principal point de départ vers Auschwitz.

Beaucoup d'enfants sont émus quand ils comprennent qu'elle avait leur âge quand elle a été déportée. Elle leur parle de « la tolérance indispensable pour qu'il n'y ait plus jamais ça ». Le ministre de l'Éducation nationale, François Fillon, resté jusque-là en retrait, appuie ses propos en prenant les élèves à témoin : « Ceux qui peignent des croix gammées sur les tombes ont parfois votre âge. Adolescents d'aujourd'hui, vous êtes concernés. »

Témoigner, inlassablement, comme le fait également Marceline en se rendant dans de nombreux établissements scolaires. Simone continue son chemin sur les différentes routes qui mènent au travail de mémoire. À Drancy comme à Auschwitz, que reste-t-il de cette mémoire ? Le grand bâtiment en U où elle a séjourné, dernière trace visible du départ vers l'horreur, porte le curieux nom de cité de la Muette. Le lieu est aujourd'hui une HLM où vivent des centaines de Français. Simone n'aurait pas aimé que l'on en fasse un musée. Ç'aurait été figer la mémoire. Or, la vie doit reprendre ses droits.

C'est ici, au pied de cette cité, à cinq cents mètres à vol d'oiseau du lycée où elle vient d'intervenir, qu'elle se rend en compagnie des élèves. Elle y dépose une gerbe de fleurs.

En regardant cette génération qui, longtemps après elle, continuera à témoigner, les images du passé se superposent une nouvelle fois à celles du présent.

Simone repart de Drancy avec en tête une phrase prononcée par un élève : « J'ai un grand respect pour vous, madame Veil. » Elle a éprouvé en l'entendant un bonheur immense et étrange.

Nommée « immortelle »

Paris, mars 2010

Le 77 de l'avenue Denfert-Rochereau ouvre sur une allée pavée. En y entrant, Simone a l'impression de basculer dans une autre dimension. Au fur et à mesure qu'elle s'aventure plus profondément entre les murs d'une longue bâtisse constituée d'une interminable succession de portes, le brouhaha de la ville s'amenuise. Au ronronnement des moteurs, aux odeurs de pots d'échappement, aux bruits des klaxons, ont succédé d'autres sonorités et d'autres parfums qui donnent à l'endroit un air de campagne au cœur de la capitale. Un autre monde, en effet, peuplé de chants d'oiseaux, de martèlements métalliques, du burin résonnant sur la pierre, de la tôle qu'on froisse… Investies par Alberto Giacometti, Paul Belmondo et quelques autres au début du XXe siècle, ces anciennes écuries servent toujours d'ateliers à des artistes.

En même temps que se rapprochent la masse du dôme de l'Observatoire et ses jardins nimbés d'une lumière printanière, le bruit d'un marteau frappant du métal se fait plus précis. La main qui cogne appartient au sculpteur Ivan Theimer. C'est à lui que rend visite la vieille dame. L'âge et les années ne sont pas parvenus à tempérer l'impatience de Simone. Elle est venue se rendre compte des progrès accomplis par l'artiste sur le projet qu'elle lui a commandé. Elle entre. Dans un coin de la pièce, elle retrouve les esquisses de l'œuvre qui orne désormais la place de la Victoire à Bordeaux. Deux imposantes tortues de bronze. Simone les trouve superbes. Elles sont à l'origine de sa rencontre avec leur auteur.

Ivan Theimer s'arrache à son travail. Il tend à sa visiteuse une épée. La lame est gravée d'une inscription, sur la fusée sont deux mains enlacées d'argent massif, une carapace de tortue coiffant le pommeau pour symbole de longévité. L'objet est presque prêt. Il est magnifique. Elle est heureuse.

Après des mois à courir les antiquaires et les étals poussiéreux des brocanteurs, son fils Jean a débusqué la perle rare aux puces de Saint-Ouen. Fine, féminine, la lame centenaire avait été offerte à une cantinière par ses camarades de régiment au moment de son départ à la retraite. L'épée qu'elle arborera dans peu de jours n'a jamais versé le sang. Simone s'apprête à lui donner une seconde vie, loin des champs de bataille du XIXe siècle, sous les ors de l'Académie française.

Paris, 18 mars 2010

En deux ans, depuis qu'elle a été élue par 22 voix sur 29, Simone a eu pas mal de temps pour rêver ce qu'elle est en train de vivre. Malgré tout le lustre dont elle a pu enrober ses petites anticipations, elle se rend compte assez vite qu'elle était très en dessous de la réalité. L'ancienne magistrate, l'ex-ministre, qui fut aussi présidente du Parlement européen et membre du

Conseil constitutionnel jusqu'en 2007, la personnalité décorée de la Légion d'honneur en 2009, l'épouse, la mère aujourd'hui grand-mère, a pourtant connu son lot d'heures historiques et reçu son content d'honneurs. Mais là !…

En passant sous les trois drapeaux bleu-blanc-rouge qui pavoisent le porche de l'Institut de France, alors que la Garde républicaine fait une haie d'honneur au son des tambours, que l'observe la foule des curieux et que les caméras de télévision retransmettent en direct, l'épiderme de Simone Veil est parcouru d'une onde de frissons, exquis fourmillement de joie, d'émotion et de fierté mêlées.

Encore quelques instants et elle sera la sixième femme à siéger parmi les Immortels, occupant, à la suite de Paul Claudel, Pierre Loti, Pierre Messmer, le fauteuil numéro 13 qui fut aussi jadis celui de Jean Racine, l'auteur préféré de son père.

Contrairement à la plupart de ses pairs, Simone n'est pas écrivain. Son existence a cependant été rythmée par la lecture. Elle a puisé dans les livres et la vénération qu'elle porte à certains écrivains la force de surmonter quantité d'épreuves. La littérature lui a donné le goût de vivre. La langue française lui a fourni les armes grâce auxquelles elle a remporté d'immenses combats ; elle aura dorénavant la tâche de la défendre et d'en accompagner les incessantes évolutions.

Maintenant, elle monte à la tribune. D'où elle contemple le prestigieux parterre qui se déploie en arc de cercle. Deux anciens présidents de la République et un troisième en exercice. Valéry Giscard d'Estaing, avec qui elle a commencé sa carrière politique, est là, en habit d'académicien.

Assis dans le fauteuil présidentiel, Nicolas Sarkozy, le chef de l'État, la gratifie d'un sourire bienveillant. Il avait commencé par se faire excuser, avant, finalement, d'honorer l'événement de sa présence.

En dépit d'une admiration réciproque, ils se sont souvent affrontés. Ils ont œuvré ensemble dans le gouvernement d'Édouard Balladur de 1993 à 1995, elle en tant que ministre des Affaires sociales, lui comme ministre du Budget. Il avait compris l'importance des réformes qu'elle entendait mener et s'était efforcé de lui en fournir les moyens. En 2007, quand il s'était lancé dans la course pour l'élection présidentielle, elle avait, sans hésitation, accepté de présider son comité de soutien. Enfin libérée du devoir de réserve que lui avait imposé le Conseil constitutionnel pendant neuf ans, elle s'était empressée de soutenir sa candidature. Simone avait foi en son énergie. Elle le regardait comme le seul capable de créer l'électrochoc qui sortirait le pays de sa dangereuse léthargie. De son côté, il était fier de la compter au sein de son équipe.

Lors de son dernier meeting parisien, à quelques jours du second tour, il lui avait donné la parole dans l'immense arène de Bercy. Simone avait été impressionnée de voir autant de monde rassemblé pour soutenir un homme politique. Galvanisée par la foule des militants qui l'applaudissait à tout rompre, elle avait parlé avec ferveur. Elle savait parfaitement l'importance de son soutien, elle qui était dotée d'une popularité que nombre d'hommes et de femmes politiques lui enviaient.

À la fin d'un rassemblement à Issy-les-Moulineaux, quatre jours avant le premier tour, Nicolas Sarkozy l'avait fait monter sur scène sous les acclamations. Puis, l'embrassant comme du bon pain, la serrant entre ses bras avec insistance, il lui avait soulevé le bras afin qu'elle salue le public. Elle ne s'était même pas formalisée des familiarités du futur vainqueur, tant elle trouvait bienvenue et vivifiante cette spontanéité presque ingénue. Avec lui, un vent de renouveau soufflerait bientôt sur la République.

Très vite, toutefois, des divergences se firent jour, notamment autour du sujet de prédilection de Simone, la mémoire collective. La rupture avait eu lieu moins d'un an après son élection, le 13 février 2008, lors du dîner annuel du Conseil représentatif des institutions juives de France (CRIF), où le discours de Nicolas Sarkozy devait stupéfier l'ancienne ministre. Simone était toute proche de l'estrade, mais elle n'était pas sûre d'avoir bien entendu lorsque le président de la République avait annoncé vouloir confier à chaque élève français du primaire la mémoire de l'un des onze mille enfants de la Shoah. Mesurait-il vraiment la portée de ses propos ? Non, il y avait peu de chance. Il fallait sans doute plutôt les mettre sur le compte de l'une de ses improvisations calculées dont le nouveau chef de l'État avait toujours eu le secret. Telles étaient les pensées qui s'entrechoquaient dans la tête de Simone, tandis qu'elle encaissait, sans ciller, l'étrange déclaration. Son sang s'était néanmoins glacé. Elle n'avait prononcé aucun mot, n'avait pas laissé transparaître la moindre émotion devant les caméras de télévision. Simone réagit à froid. Deux jours plus tard, elle qualifiait publiquement l'idée d'« inimaginable, insoutenable et injuste ». Et d'enfoncer le clou : « On ne peut pas infliger ça à des petits de dix ans. On ne peut pas demander à un enfant de s'identifier à un enfant mort. Cette mémoire est beaucoup trop lourde à porter. » Une idée qui risquait également d'attiser les tensions communautaires : « Comment réagira une famille très catholique ou musulmane quand on demandera à leur fils ou à leur fille d'incarner le souvenir d'un petit Juif[1] ? »

Simone avait participé à une table ronde sur le sujet au ministère de l'Éducation nationale et s'était fermement opposée à ce projet. Nicolas Sarkozy y avait en définitive renoncé. Son initiative de créer un ministère de l'Immigration et de l'Identité nationale l'avait déjà heurtée ; là, elle trouvait qu'il dépassait les bornes de la décence.

Elle ne devait pourtant jamais lui retirer son soutien politique, l'accompagnant par exemple lors d'une visite d'État en Israël quelques mois plus tard. Elle prendrait simplement ses distances et exprimerait son désaccord avec la politique menée chaque fois qu'elle le jugerait nécessaire…

Jacques Chirac est assis juste en face. Il y a quelques heures, au Sénat, lors d'une cérémonie à huis clos, il lui a remis officiellement son épée d'académicienne. Il a les yeux fixés sur elle et se pince les lèvres d'un air sérieux qui l'amuse. Rien n'entamera jamais l'estime qu'elle lui porte.

L'épée, son épée d'académicienne, voilà ce qui distrait Simone de ses rêveries et la ramène à la réalité. Elle la dépose près du pupitre. Revêtue de son habit d'académicienne vert et or dessiné par Karl Lagerfeld et brodé par la maison Lesage, assise, elle prononce à présent son discours.

Dès les premiers mots, elle voit les visages de ses fils Jean et Pierre-François se mouiller de larmes.

Son père n'aurait sans doute pas davantage été en mesure de contrôler son émotion s'il avait assisté à l'hommage rendu par la République à sa fille, aujourd'hui une vieille dame de quatre-vingt-deux ans. Simone évoque « le souvenir de ces repas de famille » où elle avait « recours au dictionnaire pour départager [leurs] divergences sur le sens et l'orthographe des mots. Bien entendu, c'est lui qui avait toujours raison ». Et d'ajouter : « Il serait ébloui que sa fille vienne occuper ici le fauteuil de Racine », un auteur qu'il vénérait. Sa mère, son modèle, dont la figure l'accompagne « jour après jour, deux tiers de siècle après sa disparition dans l'enfer de Bergen-Belsen », est évidemment au cœur de son allocution. Elle sait la fierté qu'elle éprouverait en contemplant le chemin parcouru par sa fille.

Après s'être exprimée pendant plus d'une heure et fait l'éloge de son prédécesseur, Pierre Messmer – grand résistant et ministre du général de Gaulle –, au fauteuil qu'elle va désormais occuper, Simone reprend sa place parmi ceux que l'on appelle « les Sages ». En se rasseyant sous une salve d'applaudissements, Valéry Giscard d'Estaing la félicite en lui serrant la main.

Jean d'Ormesson la remplace à la tribune. Il a l'œil malicieux et affiche son inimitable sourire en coin, mélange d'ironie légère et d'intelligence gourmande.

Il dit : « De toutes les figures de notre époque, vous êtes l'une de celles que préfèrent les Français. Les seuls sentiments que vous pouvez inspirer et à eux et à nous sont l'admiration et l'affection. Je voudrais essayer de montrer pourquoi et comment vous incarnez avec plus d'éclat que personne les temps où nous avons vécu, où le Mal s'est déchaîné comme peut-être jamais tout au long de l'histoire et où quelques-uns, comme vous, ont lutté contre lui avec détermination et courage et illustré les principes, qui ne nous sont pas tout à fait étrangers, de liberté, d'égalité et de fraternité. » L'académicien commence le récit de sa vie par une phrase qui synthétise la cassure entre le bonheur familial de l'enfance et l'horreur qu'elle allait devoir affronter : « L'histoire commence comme un conte de fées. Il était une fois, sous le soleil du Midi, à Nice, une famille sereine et unie à qui l'avenir promettait le bonheur et la paix. » Est-ce parce qu'elle est gênée d'être ainsi mise en lumière ? Ou redoute-t-elle d'être submergée par l'émotion ? Derrière ses lunettes, son regard se trouble. Simone a baissé la tête.

Les mots de Jean d'Ormesson font affluer les images du passé. « Vous êtes le n° 78651. Vous appartenez désormais, avec des millions d'autres, au monde anonyme des déportés. [...] Dans l'abîme où vous êtes tombée, dans ce cauchemar devenu réalité, il faut s'obstiner à survivre. Survivre, à Auschwitz, comme à Mauthausen, à Treblinka, à Bergen-Belsen, est une tâche presque impossible. [...] En m'adressant à vous, Madame, en cette circonstance un peu solennelle, je pense avec émotion à tous ceux et à toutes celles qui ont connu l'horreur des camps de concentration et d'extermination. Leur souvenir à tous entre ici avec vous. » Une sorte de recueillement religieux semble s'être emparé de l'assistance.

« À plusieurs reprises, dans des bouches modestes ou dans des bouches augustes, j'ai entendu parler de votre caractère. C'était toujours dit avec respect, avec affection, mais avec une certaine conviction : il paraît, Madame, que vous avez un caractère difficile. Difficile ! Je pense bien. On ne sort pas de la Shoah avec le sourire aux lèvres. [...] Ce qui vous a sauvée du désespoir, c'est le courage, l'intelligence, la force de caractère et d'âme. Et c'est l'amour : il succède à la haine. »

La main de Simone serre la poignée en argent de son épée, comme pour s'agripper à ces bribes de vie si bien dépeintes par Jean d'Ormesson. Ivan Theimer a réuni sur l'arme chacun des emblèmes de son existence. Les deux devises de la France « Liberté, Égalité, Fraternité » et de l'Europe « Unie dans la diversité » ; sur la fusée, deux mains enlacées qui évoquent la réconciliation entre les peuples. Une carapace de tortue, symbole de longévité, orne le pommeau, un visage de femme sur l'attache du fourreau, dans lequel Simone reconnaît les traits de sa mère, rappelle ses combats en faveur de la cause féminine. Des branches d'olivier, arbre de vie et de paix, côtoient les flammes des fours crématoires ainsi qu'un nom, « Birkenau », et ce numéro qui fut, à l'âge de seize ans, sa seule identité et qu'elle a toujours, plus de soixante-cinq ans après, tatoué sur le bras : 78651.

Au moment où Jean d'Ormesson épelle les chiffres terribles, une jeune fille assise aux premiers rangs, qui ressemble étrangement à l'adolescente qu'était Simone, est saisie d'émotion. Valentine, sa petite-fille, vient de réaliser que sa grand-mère avait son âge quand elle a été déportée. Elle qui n'a pas fait le voyage familial à Auschwitz parce qu'elle était trop jeune, apprend par ce récit de nombreux détails qu'elle ignorait et qui la bouleversent. Ils renforcent l'admiration qu'elle éprouve. Mais, surtout, elle veut retenir ce nombre, 78651. Comme elle n'a pas de stylo et qu'elle renonce à sortir son téléphone portable pour le noter, elle décide de se le répéter en boucle afin de le retenir par cœur. Jusqu'à la fin de la cérémonie.

Les yeux rivés sur le visage de Simone, l'académicien poursuit : « Je vous regarde, Madame : vous me faites penser à ces grandes dames d'autrefois dont la dignité et l'allure imposaient le respect. Et puis, je considère votre parcours et je vous vois comme une de ces figures de proue en avance sur l'Histoire. » Il lui dit combien les Français l'ont en estime. « Cette admiration, vous la suscitez, bien sûr, vous-même. Mais, dans votre cas, quelque chose d'autre s'y mêle : du respect, de l'affection, une sorte de fascination. Beaucoup, en France et au-delà, voudraient vous avoir, selon leur âge, pour confidente, pour amie, pour mère, peut-être pour femme de leur vie. » Les derniers mots lui ressemblent, légers, drôles, tendres et galants. « Je baisse la voix, on pourrait nous entendre : comme l'immense majorité des Français, nous vous aimons, Madame. Soyez la bienvenue au fauteuil de Racine qui parlait si bien de l'amour. »

Simone est agitée de frissonnements intérieurs. Elle n'en laisse rien paraître. Antoine, Jean et Pierre-François, en revanche, ont définitivement renoncé à contenir leurs larmes. L'adolescente qui aimait lire, la jeune déportée qui n'a cessé de lutter, l'épouse, la mère, la grand-mère, l'amie, la ministre, la présidente du Parlement européen, la discrète, la combattante, la passionnée, l'éternelle rebelle, est accueillie sous la Coupole. Comme le dira Paul, le jeune garçon connu en déportation qui est depuis devenu son ami, « celle qui était condamnée à mourir, et donc fatalement mortelle, est devenue Immortelle ».

Sur le perron de l'Institut de France, ses proches la prennent en photo. Antoine, si fier, soulève l'épée à bout de bras. Aux côtés de son épouse, il arbore un sourire éclatant. Marceline ne quitte pas son amie des yeux, encore amusée du souvenir des rires de Simone quand elle lui a emprunté sa veste d'académicienne, qui, à cause de sa petite taille, tombait sur elle comme un manteau.

Simone se rembrunit. De l'autre côté de la Seine, quai François-Mitterrand, des manifestants crient leur opposition à la loi sur l'IVG et à l'entrée de Simone sous la Coupole. Ils sont une petite centaine à s'exciter derrière un cordon de CRS. L'un d'eux s'égosille dans un haut-parleur et l'interpelle par son prénom : « Simone, toi qui prétends être civilisée, pourquoi en barbare t'es-tu transformée ? » Des banderoles insultantes ont été déployées. L'une d'elles déplore : « Pas d'avorteuse à l'Académie. »

Plus de trente-cinq ans après sa promulgation, cette loi qui a révolutionné la vie des femmes continue de soulever des passions malsaines. Simone le sait. Les lettres d'insultes qu'elle n'a jamais cessé de recevoir en attestent avec une malheureuse évidence.

À près de quatre-vingt-trois ans, Simone voudrait pouvoir profiter du présent. Ou en tout cas choisir elle-même les moments dont elle souhaite se souvenir. À moins que la vie ne le décide pour elle…

Le crépuscule d'une vie

Paris, 15 avril 2013

Ils se recueillent face au cercueil. Des hommes politiques, des connaissances, des amis de trente ans... Simone est assise au premier rang. Elle porte un tailleur noir. C'est son mari qu'on enterre.

Pierre-François garde une main posée sur l'épaule de sa mère tout au long de la cérémonie. Auprès d'elle, deux personnes qui ne sont ni ses enfants, ni ses petits-enfants, ni des hommes et femmes d'État – Jacques Chirac est plus loin dans l'assistance. Paul Schaffer et Marceline Loridan sont les deux amis qu'elle a connus en déportation alors qu'ils étaient encore adolescents. Ils sont depuis comme frère et sœurs. Ils lui apportent la force dont elle a besoin en de telles circonstances. Ensemble, ils ont traversé les pires épreuves qu'il ait été donné de vivre à des hommes et des femmes du XXe siècle. Leur présence, là, maintenant, aux côtés de Simone, a quelque chose de l'évidence.

Simone a perdu son socle, celui dont elle était tombée amoureuse à l'âge de dix-neuf ans, l'amour d'une vie. Après les camps, après le malheur, c'est avec lui qu'elle a appris à revivre, ou plutôt grâce à lui. Ils ont tout partagé, le bonheur, les instants complices, les décisions politiques, les discussions enflammées, les déjeuners de famille, les vacances en Normandie et sur la Côte d'Azur, des voyages, des moments d'amour et de tendresse, d'autres de malheur.

Simone fixe le cercueil où repose désormais son « Tony ». Elle a le regard vide. Il y a quelques jours à peine, ils s'étaient rendus ensemble à l'Assemblée nationale où avait lieu la remise du prix du Livre politique, ils avaient également assisté à la lecture annuelle des noms de convois au Mémorial de la Shoah. Marceline avait pris la parole en public et Antoine lui avait fait un signe de félicitation, le pouce levé, arborant son sourire des grands jours. Ils avaient ensuite plaisanté, comme à leur habitude, pour instiller à l'instant une espèce de joie.

Depuis plusieurs mois, c'est Antoine qui veillait sur elle. Nuit et jour. Depuis que la vieillesse et sa mémoire lui jouaient des tours. Il avait fait aussi en sorte qu'une personne soit présente à la maison pendant la journée, car, bien qu'à la retraite, il n'avait pas cessé ses activités de conseiller pour de grandes entreprises. Mais il avait refusé que quelqu'un d'autre que lui soit à ses côtés la nuit. Il partait travailler en pensant à elle à chaque seconde et revenait, entre deux rendez-vous, s'assurer qu'elle allait bien. Voir l'être aimé s'enfermer dans un monde auquel il n'avait pas accès était une épreuve. Son cœur s'est arrêté sans aucun signe précurseur.

Un mois plus tôt, le 5 mars, Simone a dû affronter un autre décès, celui de sa sœur Denise, disparue à l'âge de quatre-vingt-huit ans. Denise s'était engagée très jeune dans la Résistance lyonnaise. Elles n'avaient pas vécu la même guerre, avaient de la déportation des expériences et des visions totalement différentes. L'une avait été promise à la chambre à gaz, l'autre n'avait été « que » prisonnière. Longtemps, elles ne s'étaient pas comprises. La complicité que Simone et Milou partageaient depuis Auschwitz avait laissé peu de place à la construction d'une relation avec leur autre sœur. Puis les liens du sang et le travail de mémoire, qu'elles effectuaient chacune de leur côté, les avaient rapprochées. Depuis des années, elles n'auraient pour rien au monde manqué leur rendez-vous du dimanche matin. Simone est désormais orpheline de la tribu des Jacob.

C'est ce qu'elle a dit à Marceline quand Antoine s'en est allé : « Je suis toute seule maintenant. »

Depuis ces deux drames personnels, Simone s'est définitivement retirée de la vie publique. Sa secrétaire particulière répond systématiquement aux nombreuses sollicitations officielles : inaugurations d'école ou invitations à des événements publics. Simone se fait à chaque fois excuser.

Simone a pris le temps de se réconcilier avec son histoire. Les années précédentes, elle s'est notamment rendue à Kaunas, en Lituanie, et à Talinn, en Estonie, sur les dernières traces connues du passage de son père et de son frère à bord du convoi n° 73, parti de Drancy le 15 mai 1944. Elle s'est longuement entretenue avec Henri Zajdenwergier, seul survivant, aujourd'hui, de ce convoi. Elle a longtemps hésité avant d'entreprendre ce voyage. Puis elle a franchi le pas, pour essayer d'avoir un indice supplémentaire qui lui aurait permis de connaître, enfin, la vérité sur le lieu exact de leur destination. Et savoir, surtout, où se trouvent aujourd'hui leurs corps. Elle n'a jamais su non plus où était partie la dépouille de sa mère – celle qu'elle appelle toujours « Manman » avec cette intonation si particulière, réminiscence de l'enfance – après son décès dans le camp de Bergen-Belsen. Simone n'a jamais réussi à parler de la disparition de son père André et de son frère Jean à personne. Même pas à sa sœur Denise. Ce voyage dans leurs pas, aux côtés d'autres familles de déportés avec qui elle a pu partager sa douleur, fut un réconfort.

Il y eut également un autre moment de réconciliation avec son histoire personnelle. Simone avait réussi à convaincre Antoine de l'accompagner à Auschwitz. Ils avaient profité d'un voyage à Salzbourg, en Autriche, où les deux mélomanes s'étaient rendus à quantité de concerts, pour faire ensuite une halte en Pologne, où Antoine avait, pour la première fois, accepté de regarder en face les stigmates du passé de son épouse. Elle avait effectué le voyage à de nombreuses reprises avec des délégations officielles, puis en famille, seule avec ses enfants et petits-enfants. L'entreprendre aux côtés de celui qui avait réussi à lui faire aimer la vie envers et contre tout était devenu essentiel.

Enfin, Simone a rassemblé tous ses souvenirs dans une autobiographie dont le succès, dès sa sortie en 2007, a dépassé ses espérances. Elle a pourtant mis du temps avant d'accepter, se rétractant plusieurs fois tant l'exercice lui paraissait difficile et « impudique », selon ses mots. Elle prend soin de le dédier à chacun des membres de sa famille disparu trop tôt. Pour honorer la mémoire de son fils Claude, elle lui donne même le prénom qu'il s'est choisi, Nicolas.

Ce texte n'a fait qu'amplifier l'admiration que les Français lui vouaient. Elle figure toujours en tête de leurs personnalités préférées. Seule sa brève apparition au bras d'Antoine, au sein du cortège de la Manif pour tous contre le mariage gay, le 13 janvier 2013, en a froissé quelques-uns. Elle semble ne pas réaliser qu'elle défile en compagnie de ceux qui, près de quarante ans plus tôt, étaient contre son projet de loi sur l'IVG et l'avaient insultée.

Simone n'a rien perdu de sa superbe ni de son regard pers. La démarche est plus lente, mais l'élégance est la même. Elle est reconnaissable entre toutes, par ce style inimitable qui signe sa silhouette : un tailleur Chanel et un chignon parfait. La seule différence est qu'elle ne se déplace plus. Elle ne fait plus le tour de la planète à la rencontre des dirigeants du monde et elle ne se rend plus, pour y boire son habituelle coupe de champagne, chez sa voisine Françoise de Boissieu, l'épouse du professeur qu'elle avait eu à l'âge de vingt ans à Sciences Po et qui est devenue son amie. Ce sont ses proches et ses amis qui lui rendent dorénavant visite, ses anciens collaborateurs, comme Colette Même et Jean-Paul Davin, lequel lui apporte régulièrement des photos, mais également Ginette, Paul et Marceline. Marceline, justement, qui a remarqué le geste. En quittant la table du restaurant où ils ont l'habitude de se retrouver, en bas de chez elle, Simone ne peut s'empêcher de jeter un œil aux trois tasses à café restées sur la table, témoins de ce moment hors du temps qu'ils passent régulièrement ensemble. Les tasses sont posées sur les trois soucoupes. On devine la marque des lèvres sur les rebords de porcelaine. Simone espère que personne ne s'apercevra de son méfait. Mais quand elle croise le regard de Marceline, elle sait que son amie a compris. Elle lui renvoie un sourire complice. Marceline remarque souvent que plusieurs petites cuillères disparaissent. Elles ont trouvé place au fond du sac à main de Simone, enroulées dans une serviette. C'est plus fort qu'elle, elle ne peut s'en empêcher. Elle a tellement souffert de ne jamais avoir de couverts à Auschwitz et de devoir laper sa soupe comme un animal que, soixante-dix ans après, elle voit comme une nécessité de chiper des petites cuillères partout où elle a l'occasion de le faire. Marceline comprend, car elle fait la même chose.

Été 2014

Isabelle a souhaité confronter sa grand-mère à sa mémoire affective, et l'emmener une dernière fois dans sa maison de Cambremer, en Normandie, avant qu'elle ne soit vendue. Elle a donc décidé de faire le voyage avec elle et de passer une journée entière à ses côtés, comme jadis Simone lui consacrait des instants privilégiés – une séance au cinéma Publicis le samedi après-midi et un moment au ministère le dimanche matin. Comme à son habitude, Simone a bougonné, puis s'est laissé convaincre.

Sur le trajet, Isabelle se souvient des salades niçoises qu'elle lui préparait en souvenir de son enfance passée à Nice avant la guerre, du fromage qu'elle achetait exprès pour elle, encore récemment, à l'occasion du déjeuner familial, mais aussi des questions qu'elle lui posait à propos des préoccupations de la jeunesse. Simone aimait prendre le pouls de la société. Et puis, elle est si fière que sa première petite-fille ait épousé un Italien, disant souvent que ce couple est « le fruit de l'Europe ».

Elles ont marché dans le jardin que Simone s'est donné tant de mal à fleurir, elles ont longé les murs de la ferme normande achetée il y a cinquante ans, elles ont parcouru en silence les pièces de la maison. Simone s'est arrêtée plusieurs fois devant des meubles qu'elle a eu tant de plaisir à chiner, des photographies accrochées au mur. Puis Isabelle a continué la visite. Elle s'est retrouvée dans le bureau d'Antoine, où rien n'avait bougé depuis sa dernière venue dans la maison. En quelques secondes lui sont revenues les images de ses grands-parents et leurs parties sans fin de gin-rami, ce jeu de cartes dont Simone partageait la passion avec son époux, mais aussi leurs disputes. Les certitudes de Simone, l'agacement d'Antoine qui partait en claquant la porte. Puis Isabelle a entendu les pas de sa grand-mère se rapprocher. Elle a touché un objet sur le bureau de son grand-père, un geste qui a irrité Simone. Comme au bon vieux temps.

Le déjeuner du samedi n'existe plus depuis qu'Antoine s'en est allé, mais il perdure sous d'autres formes. Simone est toujours entourée de sa famille, sa « tribu », constituée de douze petits-enfants et sept arrière-petits-enfants.

13 juillet 2015

Simone s'affaire. Elle s'apprête à partir de Paris quelques jours dans le Sud. Anne, sa belle-fille, qu'elle a toujours considérée comme sa fille, lui a aussi proposé de l'emmener prendre l'air au bord du lac Léman. Elle replonge dans ses souvenirs en ce jour particulier. Ce 13 juillet, Simone fête ses quatre-vingt-huit ans.

À quelques centaines de kilomètres de là, dans le nord de l'Allemagne, un homme est jugé depuis le 21 avril devant le tribunal de Lunebourg. Un Allemand de quatre-vingt-quatorze ans du nom d'Oskar Gröning. Un nom qui ne dirait rien à Simone. Elle reconnaîtrait pourtant sans doute son visage. Les journalistes l'ont surnommé « l'ancien comptable d'Auschwitz ». Il est accusé d'avoir assisté, au printemps 1944 – date de l'arrivée de Simone, Milou et Yvonne – à la sélection séparant, à l'entrée du camp, les déportés jugés aptes au travail de ceux qui étaient directement conduits à la chambre à gaz. Mais également d'avoir caché les bagages des précédents convois afin d'éviter tout mouvement de panique parmi les déportés, expédiant à Berlin l'argent des nouveaux arrivants. Oskar Gröning a été condamné le 15 juillet à quatre ans de prison pour « complicité » dans le meurtre de trois cent mille Juifs hongrois dès leur arrivée. Il est et sera, selon les experts, le dernier nazi vivant à être jugé.

Quelques heures avant son verdict, l'ancien soldat allemand avait demandé pardon d'une voix tremblante : « Auschwitz est un endroit auquel personne n'aurait dû participer. Je regrette sincèrement de ne pas l'avoir réalisé plus tôt et de manière plus conséquente. Je suis profondément désolé[1]. »

Notes

LES FANTÔMES DU PASSÉ

1. Jean-Marie Le Pen, « Grand Jury RTL/Le Monde », 13 septembre 1987.

2. Claude Autant-Lara, interview au journal *Globe* par le journaliste Henri Elkaïm, 7 septembre 1989.

3. Simone Veil au micro d'Yves Mourousi, RMC, 11 septembre 1989.

4. Adjectif relatif à Robert Faurisson, militant négationniste français proche de l'extrême droite et des mouvances néo-nazies.

5. Simone Veil au journaliste Jean Boissonnat, 11 novembre 1989 à Berlin, publié dans l'article « Le soleil se lève à l'est », *L'Expansion*, 23 novembre 1989.

SON JARDIN SECRET

1. Simone Veil sur RMC, 10 juillet 1994.

2. Simone Veil sur RTL, 11 juillet 1994.

DEVOIR DE MÉMOIRE

1. Simone Veil, 23 janvier 2005, « Discours le jour de l'inauguration du mur des Noms du Mémorial de la Shoah ».

2. Discours de Jacques Chirac du 16 juillet 1995 au Vélodrome d'Hiver à Paris.

NOMMÉE « IMMORTELLE »

1. Interview donnée au site Internet de l'hebdomadaire *L'Express*, le 15 février 2008.

LE CRÉPUSCULE D'UNE VIE

1. *Le Monde*, 15 juillet 2015.

Repères bibliographiques

OUVRAGES

Frédérique AGNÈS & Isabelle LEFORT, *100 ans de combats pour la liberté des femmes*, Flammarion, 2014.

Christine CLERC, *Les Conquérantes*, Nil Éditions, 2013.

Beate & Serge KLARSFELD, *Mémoires*, Fayard, 2015.

Marceline LORIDAN-IVENS, *Ma vie balagan*, Robert Laffont, 2008.

Marceline LORIDAN-IVENS, *Et tu n'es pas revenu*, Grasset, 2015.

Jocelyne SAUVARD, *Simone Veil, la force de la conviction*, L'Archipel, 2012.

Paul SCHAFFER, *Le Soleil voilé*, Société des Écrivains, 2003, www.soleilvoile.com.

Maurice SZAFRAN, *Simone Veil, destin*, Flammarion, 1994.

Antoine VEIL, *Salut*, Éditions Alphée, 2010.

Simone VEIL, *Une vie*, Stock, 2007.

Simone VEIL & Annick COJEAN, *Les hommes aussi s'en souviennent. Discours du 26 novembre 1974*, suivi d'un entretien, Stock, 2004.

Documents Écrits

« Manifeste des 343 », *Le Nouvel Observateur*, n° 334, 5 avril 1971.

Serge Klarsfeld, *Mémorial de la déportation des Juifs de France* – liste des Juifs déportés depuis la France au cours de la Seconde Guerre mondiale de 1940 à 1945, Association des filles et fils des déportés juifs de France (FFDJF), 1978.

« Simone Veil, retour à Auschwitz », photos et entretien avec Alain Genestar, *Paris Match*, n° 2904, 13 janvier 2005.

Documents audiovisuels

Discours de Simone Veil à l'Assemblée nationale, projet de réforme de la législation sur l'avortement, Assemblée nationale, 26 novembre 1974.

Deux ou trois choses qu'elle nous dit d'elle, documentaire réalisé par Jean-Émile Jeannesson, TF1, INA, 2 septembre 1976.

Discours de Simone Veil lors de son élection à la présidence du Parlement européen, INA, 17 juillet 1979.

Questions à domicile : Simone Veil, Anne Sinclair et Jean-Marie Colombani sont reçus chez Simone et Antoine Veil, TF1, INA, 23 mars 1989.

Réception de Simone Veil à l'Académie française, France 3, INA, 18 mars 2010.

Un jour, une histoire : Simone Veil, l'instinct de vie, documentaire réalisé par Sarah Briand, Laurent Delahousse, Frédéric Martin, Alexis Guillot, Magnéto Presse pour France 2, 28 octobre 2014.

SITES INTERNET

http://www.memorialdelashoah.org
http://auschwitz.org/en/museum/news/

Remerciements

Je tiens à remercier particulièrement Sophie Charnavel, mon éditrice, qui m'a donné l'opportunité d'écrire ce livre et grâce à qui j'ai découvert le plaisir de l'écriture, ainsi que pour son aide précieuse, mais aussi Alexandrine Duhin pour sa patience et sa bienveillance, toute l'équipe des Éditions Fayard, Jérôme Laissus, Directeur général, Marie Lafitte et Pauline Faure, et bien sûr Sophie de Closets, Président-Directeur général qui m'offre le privilège de signer dans cette prestigieuse maison. Je la remercie infiniment.

Ce livre n'aurait pu voir le jour sans la confiance et les témoignages que m'ont accordés tous les membres de la famille de Simone Veil, et plus particulièrement Jean Veil et Pierre-François Veil, ses fils, mais aussi Isabelle, Deborah, Valentine, Aurélien, ses petits-enfants, Anne Veil, sa belle-fille, Lise Mansion, sa belle-sœur.

Je remercie également toutes celles et tous ceux qui ont accepté de me parler de celle qu'ils appellent toujours « Simone », qu'ils soient ses anciens collaborateurs, ses amis les plus proches ou des anonymes qui ont eu la chance de vivre un moment à ses côtés : Areski Bouaza, Jean Boissonnat, Joëlle Brunerie-Kauffmann,

Christine Clerc, Michèle Cotta, Fabrice d'Almeida, Jean-Paul Davin, Françoise de Boissieu, Bertrand Delanoë, Jean d'Ormesson, Bertrand Fragonard, Jacques Garai, Marie-France Garaud, Alain Genestar, Valéry Giscard d'Estaing, Marianne Gluge, Laurence Hirsch-Reinach, Simone Iff, Serge Klarsfeld, Ginette Kolinka, Marceline Loridan, Colette Même, Helène Missoffe, Robert Namias, Dorota Ryszka, Jocelyne Sauvard, Paul Schaffer, Anne Sinclair, Raymond Soubie, Maurice Szafran, Ivan Theimer, Henri Zajdenwergier.

Je tiens à adresser un merci particulier à Laurent Delahousse. Je sais ce que je lui dois. L'écriture de ce livre, après le documentaire « Un jour, un destin » sur Simone Veil réalisé en 2014, est l'occasion pour moi de lui témoigner ma très grande reconnaissance et le plaisir immense que j'ai de travailler à ses côtés depuis maintenant plus de sept ans. Il est celui qui m'a permis de devenir réalisatrice.

Enfin, je remercie particulièrement plusieurs de mes amis, qui ont fait un travail admirable : Sophie B., pour sa rigueur et ses conseils autant sur le fond que sur la forme ; Romuald L., pour ses remarques toujours justes ; et Frédéric S., pour son regard d'historien ; mais également tous ceux qui m'ont encouragée dans ce travail d'écriture, l'équipe de Magnéto Presse, confrères et consœurs de France 2, les amis qui ont été mes premiers lecteurs : Véronique, Marie, Tania, Fabien, Erwan, Jean-Michel, Floriane, Sylvaine, mais aussi mes parents, Mohamed et mes sœurs, Samantha et Ségolène.

Table

RÉALISATION : NORD COMPO À VILLENEUVE-D'ASCQ
IMPRESSION : CPI FRANCE
DÉPÔT LÉGAL : JANVIER 2017. N° 132663-5 (3025317)
IMPRIMÉ EN FRANCE

Éditions Points

DERNIERS TITRES PARUS

P4445. Et le souvenir que je garde au cœur
Jean-Pierre Darroussin
P4446. Laissé pour mort à l'Everest, *Beck Weathers, avec Stephen G. Michaud*
P4447. Les Fleuves immobiles, *Stéphane Breton*
P4448. La Fille aux sept noms, *Hyeonseo Lee*
P4449. Marie Curie prend un amant, *Irène Frain*
P4450. Novembres, *Martine Delerm*
P4451. 10 jours dans un asile, *Nellie Bly*
P4452. Dialogues, *Geneviève de Gaulle Anthonioz et Germaine Tillion*
P4453. À l'estomac, *Chuck Palahniuk*
P4454. Les Innocents, *Robert Pobi*
P4455. La Saison des Bijoux, *Éric Holder*
P4456. Les Sables de Mésopotamie, *Fawaz Hussain*
P4457. La Dernière Manche, *Patrice Franceschi*
P4458. Terres amères, *Joyce Carol Oates*
P4459. On marche sur la dette. Vous allez enfin tout comprendre !, *Christophe Alévêque et Vincent Glenn*
P4460. Poésie, *Raymond Carver*
P4461. Épilogue meurtrier, *Petros Markaris*
P4462. « Chérie, je vais à Charlie », *Maryse Wolinski*
P4463. Ça, c'est moi quand j'étais jeune, *Georges Wolinski*
P4464. Vivre sans pourquoi, *Alexandre Jollien*
P4465. Petit Piment, *Alain Mabanckou*
P4466. Histoire de la violence, *Édouard Louis*
P4467. En vrille, *Deon Meyer*
P4468. Le Camp des morts, *Craig Johnson*
P4470. Bowie, l'autre histoire, *Patrick Eudeline*
P4471. Jacques Dutronc, la bio, *Michel Leydier*
P4472. Illska, le mal, *Eiríkur Örn Norðdahl*
P4473. Je me suis tue, *Mathieu Menegaux*
P4474. Le Courage d'avoir peur, *Marie-Dominique Molinié*

P4475. La Souffrance désarmée, *Véronique Dufief*
P4476. Les Justiciers de Glasgow, *Gordon Ferris*
P4477. L'Équation du chat, *Christine Adamo*
P4478. Le Prêteur sur gages, *Edward Lewis Wallant*
P4479. Les Petits Vieux d'Helsinki font le mur *Minna Lindgren*
P4480. Les Échoués, *Pascal Manoukian*
P4481. Une forêt d'arbres creux, *Antoine Choplin*
P4482. Une contrée paisible et froide, *Clayton Lindemuth*
P4483. Du temps où j'étais mac, *Iceberg Slim*
P4484. Jean-Louis Trintignant. L'inconformiste, *Vincent Quivy*
P4485. Le Démon de la vie, *Patrick Grainville*
P4486. Brunetti entre les lignes, *Donna Leon*
P4487. Suburra, *Carlo Bonini et Giancarlo de Cataldo*
P4488. Le Pacte du petit juge, *Mimmo Gangemi*
P4489. Mort d'un homme heureux, *Giorgio Fontana*
P4490. Acquanera, *Valentina D'Urbano*
P4491. Les Humeurs insolubles, *Paolo Giordano*
P4492. Le Professeur et la Sirène *Giuseppe Tomasi di Lampedusa*
P4493. Burn out, *Mehdi Meklat et Badroudine Saïd Abdallah*
P4494. Sable mouvant. Fragments de ma vie, *Henning Mankell*
P4495. Solomon Gursky, *Mordecai Richler*
P4496. Les Ragazzi, *Pier Paolo Pasolini*
P4497. Goya. L'énergie du néant, *Michel del Castillo*
P4498. Le Sur-vivant, *Reinhold Messner*
P4499. Paul-Émile Victor. J'ai toujours vécu demain *Daphné Victor et Stéphane Dugast*
P4500. Zoé à Bercy, *Zoé Shepard*
P4501. Défaite des maîtres et possesseurs, *Vincent Message*
P4502. Vaterland, *Anne Weber*
P4503. Flash boys. Au coeur du trading haute fréquence *Michael Lewis*
P4504. La Cité perdue de Z, *David Grann*
P4505. La Dernière Fête, *Gil Scott-Heron*
P4506. Gainsbourg confidentiel, *Pierre Mikaïloff*
P4507. Renaud. Paradis perdu, *Erwan L'Éléouet*
P4508. La douleur porte un costume de plumes, *Max Porter*
P4509. Le Chant de la Tamassee, *Ron Rash*
P4510. Je ne veux pas d'une passion, *Diane Brasseur*
P4511. L'Illusion délirante d'être aimée, *Florence Noiville*
P4512. L'Encyclopédie du Baraki. De l'art de vivre en jogging en buvant de la bière, *Philippe Genion*
P4513. Le Roland-Barthes sans peine, *Michel-Antoine Burnier et Patrick Rambaud*
P4514. Simone, éternelle rebelle, *Sarah Briand*
P4515. Porcelain, *Moby*
P4516. Meurtres rituels à Imbaba, *Parker Bilal*